D0718120

Prooi

Van Elle van den Bogaart verschenen ook:

De gele scooter (2003, Debutantenprijs Jonge Jury 2005)
Krassen (2004)
Duizend kilometer (2005)

Elle van den Bogaart

Prooi

Van Holkema & Warendorf

Met dank aan Cynthia, Jerely en Aura

ISBN-10: 90 269 1751 1
ISBN-13: 978 90 269 1751 6
NUR 284

Unieboek BV, Postbus 97, 3990 DB Houten

www.unieboek.nl
www.ellevandenbogaart.com

Tekst: Elle van den Bogaart
Omslagfoto: Stewart Charles Cohen/Digital Vision/Getty Images,
Patrick Sheándel O'Caroll/Photo Alto/Getty Images en Johan Bosgra
Omslagontwerp: Ontwerpstudio Bosgra BNO
Opmaak binnenwerk: ZetSpiegel, Best

1

Terwijl het vliegtuig daalt, stijgt de spanning in zijn lijf. Niet dat hij bang is voor de landing, maar wat als ze er niet is?
Als Raisel voor de tweede keer de foto van tante Noëlla uit zijn rugtas haalt, buigt zijn buurman zijn dikke zweterige lijf over hem heen om uit het raampje te kijken.
'Als dit noodweer de komende week aanhoudt, had ik mijn vakantie liever thuis op de Antillen gevierd. Moet je kijken, jongen, grijs en nog eens grijs,' zegt de man hijgend en hij laat zich weer terug op zijn stoel vallen.
Uit beleefdheid kijkt Raisel ook even uit het raampje en knikt een keer.
'Ga je ook op vakantie?' vervolgt de man, terwijl hij met een servetje de zweetdruppels van zijn gezicht veegt.
'Nou, nee, ik wil in Nederland proberen door te breken in de muziekwereld,' antwoordt Raisel. Alleen al het uitspreken van de woorden geeft hem een machtig gevoel. Alsof hij zo de werkelijkheid dichter bij zijn dromen kan brengen.
'Ben je muzikant?'
'Ik rap, maar ik wil graag een beroemd dj worden.'
'Jongen, ga je droom achterna en geef vooral niet te snel op. Dat heb ik helaas jaren geleden wel gedaan omdat ik te bang was risico's te nemen. En neem van mij aan: risico's moet je durven nemen en je moet je niet door tegenslagen op je kop

laten zitten. Nu is het voor mij te laat, maar jij bent jong en gelooft in jezelf. Ik wens je heel veel succes.'
'Dank u. Ik hoop dat het me gaat lukken.'
Gelukkig laat de man hem verder met rust, zodat hij nog even een blik op de foto van zijn tante kan werpen.
Ze lijkt niet op zijn moeder. Bijna alles aan zijn tante is groter, dikker en strenger.
Alleen de ogen zijn hetzelfde. Het beeld van de roodomrande ogen van zijn moeder spookt nog altijd door zijn hoofd.
Veertien uur geleden hadden ze afscheid van elkaar genomen. Het was voor beiden niet gemakkelijk geweest.
'*Mi yiu,** nu is het tijd om te laten zien wat je kunt. Stel me dit keer niet teleur. Je krijgt deze kans maar één keer in je leven,' had ze hem serieus toegesproken. Daarna had ze hem bedolven onder luid klinkende zoenen en was hij ondanks zijn trillerige benen zo zelfverzekerd mogelijk naar het controlepoortje van de douane gelopen. Hij had niet meer durven omkijken.
Zijn vertrek naar Nederland was ook zo onverwacht snel gekomen. Een maand geleden hadden ze bericht ontvangen dat de voogdij in orde was. Zijn tante zou hem in haar huis opvangen en zo goed mogelijk begeleiden. De toelating tot het vierde jaar vmbo-t was al geregeld. De familie had in een recordtempo zevenhonderdvijftig dollar bij elkaar gelegd voor de reis en voor zijn verblijf in Nederland.
Er zit niets anders op dan aan de verwachtingen van zijn familie te voldoen. Bovenaan op hun verlanglijstje staat met stip:

---

* Mijn kind.

het halen van een diploma. Voor zijn eigen bestwil. Ja, ja, dat zal wel: voor de bestwil van zijn familie, zullen ze bedoelen. Een schande, een grote schande was het dat hij voor de tweede keer zijn diploma niet had gehaald.
Zijn familie weet niet dat hij anderhalf jaar geleden al vurig verlangde om naar Nederland te gaan. Vrienden hadden hem verzekerd dat het hem in Nederland zeker zou lukken om door te breken. Het was dj Van Buuren en Tiësto toch ook gelukt? Wat een mazzel dat hij nu toch naar Nederland kan gaan, ook al is het om zijn diploma te halen.
Hij stopt de foto naast zijn cd's en slaat beide armen stevig om zijn rugtas. Op de cd's staan zijn nieuwste mixen.
De druk in zijn oren en de indringende zweetlucht van zijn buurman verstoren zijn gedachten.
Nog tien minuten voordat hij zijn eerste stappen in Nederland zal zetten. Als hij zijn best gaat doen, moet het hem lukken zijn diploma binnen een jaar te halen. Zijn moeder zal dan zijn plannen om de muziekwereld in te gaan heus wel serieus nemen.
Onder hem verschijnen honderden keurig aan elkaar passende lapjes. Het doet hem aan het spel Risk denken. Het is zijn missie de stukjes land één voor één te veroveren met zijn muziek.

2

De ontvangst in Nederland is allesbehalve vriendelijk. Ze hebben hem wel gewaarschuwd voor het feit dat Antillianen streng worden gecontroleerd, maar besnuffeld worden door twee grote herdershonden en vervolgens helemaal binnenstebuiten worden gekeerd is wel erg overdreven. Met nog tien andere verdachten zijn ze hierdoor minstens een uur opgehouden.
Als hij eindelijk door de laatste controlepoort loopt, ziet hij tot zijn verbazing dat de niet-verdachte medepassagiers nog bij de bagageband staan te wachten. Ze lopen geïrriteerd heen en weer en als er plotseling een tas en een groot ingepakt voorwerp voorbijkomen, duiken ze er met zijn allen op af. Zijn koffer verschijnt als een van de laatste op de band. Zeker ook nog eens extra gecontroleerd.
Met de koffer in zijn hand volgt hij de dikke man die in het vliegtuig naast hem zat.
Plotseling zijn er in de verte heel veel gezichten te zien. Hij voelt zich onzeker en blijft een paar seconden stilstaan.
Dan ziet hij haar. Ze kijkt zo streng als op de foto's en heeft hem duidelijk nog niet in het vizier. Haar felgekleurde jurk en groene hoed vallen op tussen de vele grijze pakken. Even later ontmoeten hun ogen elkaar en zijn tante begint uitbundig te zwaaien.

'Raisel, Raisel, *konta bai ku bo**?' Haar stem klinkt verrassend hetzelfde als die van zijn moeder.
Als hij zijn koffer op de grond zet en haar een hand wil geven, trekt ze hem stevig tegen haar ronde, volle lichaam en kust hem op beide wangen.
'*Ay, b'a bira un gai nèchi, grandi.*** Ik heb lang op je gewacht. Ben je moe? Kom, we gaan snel naar de auto. Hoe is het met je moeder en de rest van de familie? Is je opa uit het ziekenhuis? En is tante Bernadine nog altijd niet bevallen? We zijn zo blij dat je er bent. Oom Theo was graag meegekomen, maar hij ligt al een paar dagen ziek op bed. Weet je, hij heeft zelfs een nieuw bureau voor je gekocht.' Terwijl ze maar doorratelt, trekt ze hem aan zijn mouw en loopt ze met grote passen naar de parkeergarage.
In de auto stelt ze aan één stuk door vragen en hij hoort alles over zijn rechten en plichten gelaten aan. Als ze stilstaan voor een rood stoplicht kijkt ze hem even van opzij aan. 'Jongen, wat lijk jij veel op je vader. Dezelfde mooie ogen en dezelfde dreads. Ik begrijp niet waarom je moeder hem het huis uit heeft gezet. Hij werkte hard en hij was goed voor jullie, toch?'
Raisel voelt een brok in zijn keel. Alsof zij weet wat er zich heeft afgespeeld binnen hun gezin.
'Heb je je vader nog eens ontmoet, of mocht dat niet van je moeder?'
Hij haalt zijn schouders op. Waar bemoeit ze zich mee?
'Ach, je moeder was vroeger al een kritische dame. Als het

---

* Hoe gaat het met je?

** Oh, je bent een knappe, grote kerel geworden.

haar niet beviel, haakte ze af. Ik kan je hele verhalen over haar vertellen.'
Demonstratief kijkt Raisel naar buiten. Het kwetst hem enorm dat ze zijn moeder zwartmaakt.
Plotseling valt zijn oog op een poster op een reclamezuil. DANCEPARTY 12 JULI IN DEN BOSCH. Helaas kan hij de overige tekst niet meer lezen. Twaalf juli: dat is aanstaande vrijdag. Over twee dagen dus. *E fiësta por cominsá.** Maar waar ligt in godsnaam Den Bosch?
'Ik ga naast mijn school zo snel mogelijk een baantje zoeken,' zegt hij zonder zijn tante aan te kijken.
'Heel goed, jongen. Ik kan met je meegaan en kijken wat ik voor je kan regelen.'
'Dat is niet nodig. Ik red me prima.' Hij ziet de situatie al voor zich: zijn kolossale tante in een moderne disco, verblind door de lampen.
'Wat kun je allemaal? Misschien heeft je oom wel een baantje voor je. Op zijn werk hebben ze op dit moment mensen nodig om vlees te verpakken. Of ben je bang je handjes vies te maken?'
'Nee, maar ik wil iets met mensen doen in plaats van met dieren.'
'Al goed, al goed, maar je gaat hier niet rondhangen en niks doen. Je moeder zou het niet goedvinden, en kijk wat er van je neef Angel terecht is gekomen. Je moeder heeft zeker wel verteld hoe het met hem is afgelopen?'
Raisel kijkt haar een moment aan en knikt. Angel was ver-

---

* Het feest kan beginnen.

slaafd geraakt aan de drugs en sinds een jaar is hij spoorloos verdwenen.
'Ik heb lekker voor je gekookt. *Stoba ku funchi,** je lievelingseten volgens je moeder. We eten altijd stipt om zes uur. En ik wil ook dat je op tijd thuiskomt, dat wil zeggen: vóór elf uur.'
Hij krijgt krampen in zijn buik. Heeft zijn moeder dit allemaal goedgekeurd?

Na een regenachtige reis van twee uur, waarin zijn enthousiasme over het verblijf in Nederland niet bepaald is gegroeid, parkeert zijn tante eindelijk de auto voor haar huis. Nou ja, huis... Een blok beton is een betere benaming: opeengestapelde bruine bakstenen, onderbroken door een grijze deur en een paar saaie ramen. Op de vensterbank staan de plantjes stijf in een rij, afgewisseld met kitscherige witte beeldjes.
'Schiet op, Raisel, kom binnen. Je wordt helemaal nat,' roept zijn tante vanuit de deuropening.
'Trek je schoenen uit en zet ze op het rekje in de gang. Hang je jas daar maar op, niet tegen de droge kleren. Let op dat de wieltjes van je koffer mijn vloer niet beschadigen. Ik ga even bij je oom kijken. Ga maar op de bank in de woonkamer zitten.'
Hij voelt zich beetgenomen. Waarom had zijn moeder hem niet eerlijk verteld over het strenge regiem van zijn tante?
Hij volgt de belachelijke instructies van zijn tante op en laat voor de zekerheid zijn koffer in de gang staan.
De huiskamer is minstens zo saai als de buitenkant van het

* Stoofvlees met maispap.

huis. Donkerbruin is overduidelijk hun lievelingskleur. Aan de muur hangt een kruis, met daarnaast een foto van Angel. Als Raisel op de bank wil gaan zitten, opent zijn tante de deur. 'Je oom vraagt of je even naar boven komt. Hij is te ziek om uit bed te komen.'
Met tegenzin loopt Raisel achter zijn tante aan de trap op. Het uitzicht is niet meer dan twee gigantische heen en weer wiegende billen. Ze opent de eerste deur aan de rechterkant.
In het grote eikenhouten bed ligt een klein grijs mannetje te rochelen. 'Ach, daar hebben we hem. Kom eens hier,' fluistert zijn oom.
Met lood in de sokken zet hij een paar passen in de richting van het bed en hij steekt zijn hand uit. 'Hallo, hoe gaat het met u?'
'*Hopi malú, hopi malú.** Ik heb een zware longontsteking en slik veel medicijnen. Daarom wil ik je ook vragen om rekening met me te houden. Als jullie zo stil mogelijk doen, kan ik veel slapen. Laat me nu maar weer even alleen. We praten een andere keer wel verder.' De ogen van oom Theo vallen dicht en tante Noëlla wenkt Raisel naar de gang.
'Hij is nog erg zwak, maar als hij een beetje opgeknapt is, kunnen jullie samen een keer op stap. Je oom houdt van voetbal. Jij toch ook?'
Raisel knikt en probeert een lach tevoorschijn te toveren. 'Kan ik misschien mijn kamer zien?'
'Natuurlijk.' Tante Noëlla opent de kamer tegenover hun eigen slaapkamer en loopt voor hem uit de kamer binnen.

---

* Erg ziek.

Het valt mee. In tegenstelling tot de rest van het huis is er iets van kleur te zien. Voor de ramen hangen gebloemde gordijnen en de vloerbedekking is blauw. Zo blauw als zijn huisje op Curaçao en de zee. Verder staat er een eenpersoonsbed en een kolossaal bureau.
'Het was de kamer van Angel,' hoort hij zijn tante geëmotioneerd zeggen. 'De douche is op de gang. Ik laat je nog weten op welke tijd je kunt douchen. Het is beter als we elkaar niet in de weg lopen.' Met dat laatste is hij het volledig eens, maar wat hij van de rest moet denken?
Nadat hij zijn koffer voorzichtig naar boven heeft getild, sluit hij zorgvuldig de slaapkamerdeur en laat hij zich met een zucht op het bed vallen. Alle positieve verwachtingen over zijn verblijf in Nederland zijn wel heel erg snel verdreven door een somber, zwaar gevoel. Hij mist de lach van zijn moeder, haar zachte armen, haar geneurie, haar handen die zijn vlechtjes indraaien.
Hij moet nodig even naar wat muziek luisteren en pakt zijn mp3-speler. Misschien voelt hij zich dan weer iets beter. Met zijn ogen dicht ziet hij de kleurige huisjes, zijn familie, zijn vrienden. Als ze hem op dit moment zouden kunnen zien! Hun vriend Raisel: de zelfverzekerde, ambitieuze jongen die het helemaal gaat maken... Het doet meer pijn dan hij had verwacht.

3

De afgelopen twee dagen had hij enorm zijn best gedaan om zich aan de huisregels te houden.
's Morgens was hij om acht uur aan het ontbijt verschenen en klokslag zes uur had hij zich weer gemeld voor de warme maaltijd. Overdag werd hij op sleeptouw genomen door zijn tante. Ze had hem in alle buurtwinkels aan het personeel voorgesteld en hij had mee naar de kerk gemoeten.
De avonden had hij naast zijn tante op de bank doorgebracht en geluisterd naar de slaapverwekkende en vaak kwetsende verhalen over zijn familie. Hij sloop op zijn tenen door het huis om zijn zieke oom niet lastig te vallen. Maar de afschuwelijkste ervaring was de gezamenlijke fietstocht naar zijn toekomstige school geweest. Die gezichten van die *makamba** toen hij met een kleurrijk uitgedoste vrouw het gebouw was binnengaan zal hij niet gauw vergeten.

Gelukkig is het dan eindelijk vrijdagavond geworden. Hij had zijn tante verteld dat hij bij enkele restaurants in de stad wilde informeren naar een baantje. Ze had hem argwanend aangekeken, maar had hem gelukkig zonder al te veel vragen laten gaan.

---

* Witte mensen.

Het is bijna niet te geloven dat hij na deze verstikkende dagen straks tussen vrolijk dansende mensen zal staan. Even opgelucht ademhalen. Als de situatie bij zijn tante niet verandert, ontploft hij straks nog. Hij mist iemand bij wie hij zijn hart kan luchten. Iemand die hem kan oppeppen of met wie hij weer eens lekker kan lachen.
Als alles goed is, arriveert de trein over een halfuur in Den Bosch. Hij is rusteloos en haalt voor de zoveelste keer de cd's uit zijn tas. De meisjes tegenover hem maken hem nog nerveuzer dan hij al is. Het is niet duidelijk of ze hem uitlachen of juist leuk vinden. Alles gaat in een sneltreinvaart: hun woorden, zijn hart, het voorbijflitsende regenachtige landschap. Nederland is snel, Nederlanders zijn snel. Prima, hopelijk kan hij snel doorbreken, snel naam maken.

Als hij eindelijk binnen is, zakt langzaam het opgejaagde gevoel. Er hangt een relaxed sfeertje in de dancing. Honderden mensen krioelen door elkaar. De dj is absoluut flex. De uitsmijter heeft hem beloofd dat hij over een uur met de eigenaar kan praten. Een breezertje moet dus nog wel lukken.
De jongen naast hem aan de bar knikt in zijn richting en heft zijn flesje. 'Konta bai ku bo? *Salú brother.**'
'*Bon, salú,*'** antwoordt Raisel en hij neemt een flinke slok.
Als hij naar de dansvloer wil lopen, voelt hij de hand van diezelfde buurman op zijn arm. 'Ben je alleen?' Het gezicht van de opdringerige jongen lacht.

---

* Proost, broeder.

** Goed, proost.

Wat wil hij?
Voordat Raisel iets kan zeggen voelt hij een arm op zijn schouders en wordt er in zijn oor gefluisterd: 'Mijn naam is Sheldon en als je wilt heb ik wel werk voor je.'
Raisel duwt de vrijpostige jongen voorzichtig van zich af en kijkt hem een paar seconden indringend aan. 'Nee, dank je. Ik ben niet geïnteresseerd.'
Wat een opdringerig type!

Volgens de uitsmijter zou hij de eigenaar moeten herkennen aan een goudkleurig pak.
Na een halfuur zoeken heeft hij Mister Gold gevonden. Met knikkende knieën en een lijf vol adrenaline loopt Raisel op hem af. Hij schraapt zijn keel: 'Goedenavond, meneer, ze hebben me beloofd dat ik even met u kan praten.'
De man bekijkt hem met een minachtende blik.
'Nu niet, je ziet toch dat ik druk bezig ben? Misschien later of anders een andere keer. Maak maar een afspraak met de manager.'
De man draait zich om en legt zijn hand op de billen van een blond meisje.
Het liefst zou Raisel de man recht in zijn gezicht zeggen dat hij een arrogante klootzak is, maar de kans dat de uitsmijters hem binnen vijf minuten op straat hebben gegooid, schat hij hoog in.
Ineens staat die gozer van daarnet weer naast hem. Volgt hij hem of zo?
'Wat moet je van me?' vraagt Raisel bot. Langzaam loopt hij terug naar de bar en bestelt nog een drankje.
'Niets. Ik kan je helpen. We zijn landgenoten, toch?'

'Ik heb je hulp niet nodig,' antwoordt Raisel onvriendelijk.
'Rustig maar, man. Het is mijn plicht landgenoten te steunen. Ik zag dat je niet veel succes had bij de baas en ik als broeder wil je graag op weg helpen. Niks illegaals, hoor. Gewoon op een snelle manier veel geld verdienen. *Hopi sèn,** daar draait toch alles om, nietwaar?' zegt Sheldon.
'En waar heb je het dan over?' Meteen heeft Raisel spijt van zijn vraag, want nu lijkt het alsof hij echt belangstelling heeft. Sheldon geeft geen antwoord, glimlacht alleen maar.
Raisel zou nu weg kunnen gaan, maar het vooruitzicht op weer een gezellig familieonderonsje met zijn tante op de bank weerhoudt hem van het plan. Als Sheldon hem een breezer aanbiedt, neemt hij het flesje aan zonder hem te bedanken.
'Je woont niet hier in de stad, toch?' wil Sheldon weten.
'Nee, ik woon in Eindhoven,' zegt Raisel.
'Echt waar? Geweldig, man, dan heb ik zeker werk voor je. Je kunt morgen beginnen. Als je morgenavond om zeven uur bij het station in Eindhoven bent, kan ik met je meegaan. Ik beloof je dat je er geen spijt van krijgt en dat het allemaal legaal is. *No tín polís.***'
'Dan moet je me wel vertellen wat het is,' zegt Raisel rustig.
'Dienstverlening,' is het korte, maar krachtige antwoord. 'Doe het nu maar. Het heeft mij heel veel geld opgeleverd. Je kunt altijd nog afhaken als het je niet aanstaat.'
Raisel heeft geen idee wat hij ervan moet denken en wil weg-

---

* Veel geld.

** Er is geen politie.

gaan. Als hij zijn lege flesje op de bar zet, is Sheldon in gesprek met een meisje. Een mooie kans om snel te verdwijnen. Hij voelt er niets voor om te wachten tot hij misschien een afspraak met de manager kan maken. Teleurgesteld verlaat hij de dancing.
Als hij buitenkomt, gaat hij op het muurtje voor de dancing zitten. Een paar meter van hem vandaan zit een meisje voor zich uit te staren. Als hij voor de tweede keer iets te lang in haar richting kijkt, wordt zijn blik gevangen door haar prachtige, stralende ogen.
'Voel je je niet lekker?' vraagt ze hem met hese stem.
'Jawel, hoor, maar ik had zin in frisse lucht,' zegt hij. Zijn stem klinkt plotseling nogal verlegen.
Het meisje lacht naar hem en hij kan alleen maar hopen dat ze nog even blijft zitten. 'Ik... ik... eh... ben hier voor het eerst,' hoort hij zichzelf behoorlijk stuntelig zeggen.
'Dat dacht ik al, anders was je me wel eerder opgevallen,' antwoordt ze.
Hij kijkt wat langer in haar lachende ogen en voelt zich plots niet zo eenzaam meer.
'Wil je misschien nog wat drinken?' vraagt hij haar en hij laat zich van het muurtje glijden.
'Oké, maar ik moet echt op tijd terug zijn op deze plek. Mijn vader komt me ophalen. Vind je het vervelend om in het café aan de overkant iets te drinken? Daar is het meestal lekker rustig.'
Hij lacht. Of hij het vervelend vindt?

Als hij achter haar loopt, valt het hem pas op dat ze een superstrak lichaam heeft. Haar lange blonde haar danst in het-

zelfde ritme heen en weer als haar korte rokje. Bij de ingang draait ze zich om en er verschijnt een uitdagende lach op haar gezicht. Ze heeft kuiltjes in haar wangen.
Binnen is het koeler en minder druk dan in de dancing.
'Zal ik iets te drinken halen?' vraagt ze.
'Nee, ik trakteer. Wat wil je?'
'Een baco, maar die zijn hier wel prijzig.'
'Geen probleem. Ik ben zo terug.'
Wat is ze mooi. Blond haar, stralende ogen, kuiltjes in haar wangen, prachtig lichaam. Alles aan haar swingt.
Gelukkig hoeft hij niet lang op zijn bestelling te wachten. Als hij zich omdraait kruisen hun blikken elkaar, en even later raken hun handen elkaar aan als hij haar het glas aanreikt.
'Ik weet niet eens hoe je heet,' zegt ze en ze neemt een grote slok van haar drankje.
'Raisel, en jij?'
'Loulou.'
'Mooie naam. Kom je vaak in die dancing?'
'Zo vaak als ik van mijn ouders mag. Meestal op vrijdag. Maar jij was er dus voor het eerst. Woon je hier in de buurt?'
'Nee, ik woon in Eindhoven, maar ook nog maar sinds een paar dagen.'
Ze kijkt hem ongelovig aan. 'Dan heb je wel heel snel een van de leukste dancings van de omgeving gevonden.'
'En een van de leukste meisjes.'
'Heb jij altijd zo veel mazzel in je leven?' vraagt ze lachend.
'Ik hoop het. Nu nog mijn andere dromen waarmaken.'
'En die zijn?'
'Doorbreken als dj en met een mooi blond meisje met kuiltjes in haar wangen verkering krijgen.' Zijn woorden klinken zelf-

verzekerd, maar zo voelt hij zich niet. 'En mag ik vragen wat jouw dromen zijn?' vraagt hij haar.
'Ja, hoor. Ik wil heel erg graag naar de dansacademie als ik klaar ben met school. Het liefst wil ik doorbreken in Amerika. Verder droom ik ervan om verkering te krijgen met een mooie donkere dj en samen met hem een wereldreis te maken en daarna in Amerika te gaan wonen.'
Haar directe antwoord maakt hem verlegen. Alles en iedereen, behalve de schoonheid voor zijn neus, mogen op dit moment verdwijnen.
Voor het eerst sinds zijn verblijf in Nederland voelt Raisel zich gelukkig. 'Zullen we toch nog even uit ons dak gaan in de dancing? Ik krijg plotseling zin om je te zien dansen,' fluistert hij in haar oor.
Loulou lacht en drinkt haar glas in één teug leeg. 'Oké, Mister Handsome, waar wacht je op?'

In de trein proeft Raisel nog steeds haar lippen. De botte afwijzing van Mister Gold kan hem even helemaal niets meer schelen.
Loulou en hij hadden non-stop gedanst. Steeds dichter bij elkaar. Hij had haar niet willen laten gaan, maar helaas wilde ze per se op tijd naar huis. Voor ze wegging had ze hem een afscheidszoen gegeven en gezegd dat ze het leuk zou vinden als ze hem volgende week weer op dezelfde plaats zou ontmoeten. Wat er ook gebeurt: hij zal er zijn.

Als hij voor de derde keer de sleutel in het slot omdraait, realiseert hij zich dat de deur aan de binnenkant vergrendeld moet zijn. Wat is dit nu weer? Het is één uur! Zijn tante zal toch niet bewust...

Er zit niets anders op dan aan te bellen. Nog geen tien tellen later wordt de deur opengemaakt en zijn tante staat als een volleerde uitsmijter voor zijn neus. Waarschijnlijk stond ze al uren op wacht.
'Het is vier minuten over één, jongeman. Wel een beetje laat voor een sollicitatiegesprek, vind je niet?'
Haar dwingende donkere ogen, haar kolossale figuur en haar irritante harde stem overvallen hem en hij kan alleen maar zijn schouders ophalen, maar vanbinnen kookt hij.
'Wij hadden een duidelijke afspraak over de tijd, en als je van plan bent je daar niet aan te houden, kun je beter je koffer pakken en het eerste het beste vliegtuig naar huis nemen.'
Dit is toch niet te geloven? Waarom doet ze dit? Om hem te kleineren? Geen wonder dat Angel nooit meer is teruggekomen.
'Kom nu maar, trek je schoenen uit en maak vooral geen lawaai. En knoop goed in je oren dat je niet nog een kans krijgt,' moppert ze terwijl ze de gang in loopt.
Hij trekt de deur te hard achter zich dicht en loopt hoofdschuddend de trap op. Hoe lang kan hij dit volhouden? Wat kan hij doen? Waar kan hij zonder geld en zonder ook maar iemand te kennen in deze vreemde stad naartoe? Het is niet eerlijk. De afgelopen dagen had hij alles, maar dan ook alles gedaan om zijn tante te plezieren, maar waarschijnlijk verwacht ze nog veel meer van hem. Ze zal steeds hogere eisen gaan stellen. Hem al zijn vrijheden afnemen. Moe van het denken laat hij zich op zijn bed vallen.

4

De kletterende regen wekt hem. Het eerste beeld dat in hem opkomt is het boze gezicht van zijn tante.
Hij haalt het kussen onder zijn hoofd vandaan en drukt het met beide handen tegen zijn borst. Loulou. Zijn mooie swingende meisje. Dat is wat hij wil: hand in hand langs de witte stranden, de zon op hun bruine lichamen, de cocktailbar in de verte...
Een schreeuwende stem verstoort zijn gedachten. 'Raisééééél. Tijd om uit je bed te komen. We moeten nog het een en ander regelen.'
Hij drukt het kussen tegen zijn gezicht. Niet te geloven! Heeft die vrouw enig idee hoe oud hij is? Straks gaat ze nog zeggen welke kleren hij aan moet, hoeveel boterhammen hij moet eten, hoeveel minuten hij zijn tanden moet poetsen. En dat op zaterdag!
Hij kleedt zich aan, poetst zijn tanden en loopt op zijn tenen de trap af. Oom Theo heeft zich nog altijd niet beter gemeld. Wel zo rustig!
Op het toilet is hij nog een paar minuten veilig.
Zijn tante zit doodstil aan de keukentafel met gebogen hoofd. Zo te zien bidt ze. 'Laat hem alstublieft niet zo eindigen als Angel,' hoort hij haar prevelen en langzaam richt ze haar hoofd op.

'*Bon dia.** Eet iets, Raisel. We gaan over een halfuur naar de stad om schoolspullen voor je te kopen. Daar kun je ook meteen pasfoto's laten maken. Verder heb ik met je oom overlegd en we hebben besloten dat je voortaan precies vertelt waar je uithangt. We willen niet dat je...'

'Sorry, hoor, maar u moet eens ophouden me te vergelijken met Angel. Ik ben zeventien en kan heel goed voor mezelf zorgen.'

'Dat denk ik niet, anders had je nu al een diploma. Ik ga me even opfrissen. Over een kwartier gaan we.' Ze staat op en loopt naar de deur.

'Ik kan heel goed alleen die spullen kopen, dus als u mij de lijst en het geld geeft, komt het goed.'

'Nee, je hebt gisteren laten zien dat ik je niet kan vertrouwen.'

Zijn lijf trilt. Zijn geduld is op. Ze zal hem iedere seconde van de dag lastigvallen met haar zogenaamd goede bedoelingen.

'Ik kan dit niet. Sorry, maar ik pak mijn spullen en ga op zoek naar een ander adres.'

Tante Noëlla draait zich om en aan haar gezicht kan hij zien dat ze geschrokken is van zijn woorden, maar ze gaat kaarsrecht voor hem staan en vraagt hem overdreven luid: 'En wat denk je dat je moeder daarvan vindt?'

Het heeft geen zin om met deze vrouw in discussie te gaan. Hij wil niet onbeleefd gaan doen, maar dan moet ze hem wel met rust laten.

'Sorry, tante, maar ik denk dat mijn moeder dit verkeerd heeft ingeschat.'

---

* Goedemorgen.

'Daar sta ik niet van te kijken. Die vrouw heeft wel meer verkeerd ingeschat in haar leven,' zegt ze koel.
Dit is het. Tot hier. De afschuwelijkste verwensingen komen in zijn hoofd op, maar hij weet zich te beheersen. Nooit oudere mensen uitschelden. Hij draait zich om en rent dit keer stampvoetend de trap op. Sorry, oom Theo!
Binnen een paar minuten heeft hij zijn spullen gepakt. Hij moet hier weg voordat er iets gebeurt waar hij later spijt van krijgt. Als hij tegenover de kamerdeur van zijn zieke oom staat, twijfelt hij, maar dan loopt hij naar de trap.
Tot zijn verbazing laat zijn tante zich niet meer zien. Als hij heel even bij de keukendeur stil blijft staan, hoort hij haar weer bidden. Hij haalt diep adem, trekt zijn schoenen aan en laat de voordeur voorzichtig in het slot vallen.
Haastig loopt hij de straat uit. Even heeft hij het idee dat zijn naam wordt geroepen, maar hij draait zich niet meer om. Hij heeft geen idee waar hij naartoe kan of wat hij gaat doen, maar één ding staat vast: nooit meer terug naar zijn tante.
Het is nog stil op straat. Natuurlijk, het is weekend. Iedereen slaapt uit. Iedereen heeft een warm bed en warme mensen in zijn omgeving. Wat heeft hij verkeerd gedaan?

Als hij na een kwartier sjouwen op een plein aankomt, kijkt hij eens rustig om zich heen. Nederlandse mensen slenteren niet op straat, ze lopen als snelwandelaars van de ene plek naar de andere zonder elkaar te begroeten. Hij moet even gaan zitten en nadenken wat op dit moment verstandig is. Waar kan hij terecht? Hoe komt hij aan geld? Hoe gaat hij dit aan zijn moeder vertellen? Waarschijnlijk hangt zijn tante nu al met haar aan de telefoon. Gaan ze hem zoeken? Zullen ze

hem dwingen terug te gaan naar zijn land? Hij moet laten zien dat hij zich ook zonder zijn familie kan redden. Ineens herinnert hij zich weer de woorden van de man uit het vliegtuig.
Geef vooral niet te snel op.
Overmorgen moet hij zich om halfnegen op school melden. Oh, god, zijn tante zal de mensen daar zeker inlichten. Waarschijnlijk zal ze hem voor de ingang hoogstpersoonlijk opwachten.
Shit, het was absoluut nooit in zijn hoofd opgekomen dat het misschien niet zou klikken met zijn familie in Nederland.

5

De dag een beetje normaal doorkomen was moeilijk geweest. In zijn hoofd was het één grote warboel. Allerlei nare gedachten hadden zich telkens weer aan hem opgedrongen. Hij zag zichzelf als een uitgehongerde, vervuilde zwerfjongen, bedelend om geld voor een bord warm eten. Hij zag zijn moeder huilend in haar keuken, zich afvragend waar haar oudste zoon was gebleven.

In een of andere goedkope eettent had hij vette kip en friet gegeten en in een muziekwinkel had hij naar een paar nieuwe cd's geluisterd. Voor de rest helemaal niets. Hij moet zo snel mogelijk werk vinden, het liefst in de muziekwereld. Maar nu is zijn belangrijkste zorg: onderdak voor de nacht scoren.

Met nog vijftig euro op zak komt hij niet ver.

Het is voor het eerst in zijn leven dat hij zich zo alleen voelt en hij weet absoluut niet wat hij moet doen. Moet hij teruggaan naar zijn tante en zijn excuses aanbieden? Nee, dat kan hij niet. Terug naar huis? Nee, iedereen zal hem een loser vinden, en de gedachte zijn familie nogmaals diep teleur te stellen, is nog moeilijker te verdragen dan de enorme kwelling die hij nu ervaart.

Na een tijdje schiet plotseling het gezicht van die gozer in de dancing door zijn hoofd. Hoe heette hij ook weer? Oh ja, Sheldon. Een vreemde gast, maar wel een met het aanbod hem te helpen. Maar of hij te vertrouwen is? Wie weet wat hij allemaal met hem van plan is? *Dienstverlening en niks illegaals.* Ja, dat had hij gezegd. Het vooruitzicht de nacht ergens op een bankje te moeten slapen, brengt Raisel wel heel erg aan het twijfelen. Wat heeft hij te verliezen? Als die Sheldon zo graag zijn landgenoten wil helpen, kan hij ook wel een goedkope slaapplaats voor hem regelen. En als het hem niet bevalt, is hij ook zo weer weg. Het waarschuwende stemmetje in zijn hoofd negeert hij.

Het is kwart voor zeven als hij onder de stationsklok staat. Hij gaat op zijn koffer zitten en kijkt zo onopvallend mogelijk om zich heen. Als hij er een tijdje zit, bekruipt hem het onaangename gevoel dat hij in de gaten wordt gehouden. Straks steken ze een mes in zijn rug en gaan ze er met zijn spullen vandoor. Waarom zou hij Sheldon vertrouwen? Nee, dit voelt niet goed. Er moet een andere mogelijkheid zijn om te overleven. Als hij opstaat, voelt hij dat er iemand heel dicht achter hem staat. Ineens krijgt hij een klap op zijn schouder. Raisel draait zich snel om en staat oog in oog met Sheldon. 'Konta bai ku bo, *mi amigo**? Heel verstandig van je om te komen,' zegt Sheldon lachend.
Sheldon ziet er chic uit. Keurig pak en behangen met goud. 'Wil je iets van me drinken?' vraagt hij.
Raisel zou nu kunnen weigeren, maar doet het niet. 'Oké, maar ik wil hier weg,' antwoordt hij niet al te vriendelijk.
'Prima, ik weet een goed adresje. Waarom heb je die zware koffer bij je? En hoe heet je eigenlijk?'

---

* Mijn vriend.

'Raisel. Omdat mijn logeeradres niet oké is.'
'Ik regel wel wat voor je. Kom, mijn auto staat daar.'
Als ze bij Sheldons auto komen, kan Raisel zijn ogen niet geloven. Een gloednieuwe Mercedes.
Sheldon legt de koffer in de achterbak en gaat achter het stuur zitten.
Ondanks zijn twijfels stapt Raisel ook in de auto. De muziek die Sheldon opzet, is niet helemaal zijn smaak, maar het is wel prettig even niet te hoeven praten.
De stad ziet er vanuit een dure auto anders uit. Minder bedreigend, misschien zelfs uitdagend.
Bij een druk terras stuurt Sheldon de auto naar de kant van de weg. '*This is the place to be, brother, let's have a good time.*'
Ze vinden een tafeltje en Sheldon knipt met zijn vingers naar de ober. Binnen vijf minuten staan er twee biertjes en twee andere onbekende drankjes op de tafel. '*Salú,** op een goede tijd in Nederland. Het land van vele mogelijkheden, maar je moet ze wel opzoeken en ik kan je daarbij helpen. Wat wil je bereiken in Nederland, Raisel?' vraagt Sheldon.
'Ik wil in de muziek verder,' antwoordt hij overtuigd.
'Mooie ambities. Ik hou ook van muziek en als je me vertrouwt, kun je je dromen snel verwezenlijken,' antwoordt Sheldon zelfverzekerd. '*Trust me, brother.*'
Nadat ze ieder nog twee biertjes hebben gedronken en Sheldon zeker een kwartier op het toilet heeft rondgehangen en heeft afgerekend, lopen ze terug naar de auto.
Ze rijden de drukke straat uit en binnen enkele minuten arri-

---

* Proost.

veren ze bij een groot park. Sheldon stuurt onverwachts de auto naar de kant en zet de motor uit.
'Even een luchtje scheppen. Kom, dan laat ik je zien hoe mooi en gemakkelijk Nederland is.'
Sheldon loopt voor de auto langs en opent Raisels portier. Met behoorlijk veel tegenzin stapt Raisel uit. Wat moeten ze op dit tijdstip in een park?
Het is een zachte avond. Behalve bomen en een vijver is er niet veel te zien. Wat is hier de bedoeling van?
'Wat gaan we doen?' vraagt hij aan Sheldon, die afwisselend op zijn horloge en om zich heen kijkt.
Met onzekere passen loopt Raisel achter Sheldon aan. Die gaat op een bankje zitten en klopt met zijn hand op de lege plaats naast hem.
Als Raisel ook zit, kijkt Sheldon hem indringend aan. 'Goed, jij zit verlegen om geld en een goede slaapplaats. Ik ga een deal met je maken. Ik zorg dat jij alles krijgt waar je behoefte aan hebt, zelfs meer dan dat, maar dan geef jij mij de helft van het verdiende geld. Doe precies wat ik je zeg, dan is het *a piece of cake*. Geef me eerst je telefoonnummer zodat ik je kan bellen als ik nog wat te melden heb.'
'Hoezo te melden hebt?'
'Over zaken, natuurlijk. Ik hou alles in de gaten en wil je op ieder moment advies kunnen geven, man.'
Raisel aarzelt even, maar geeft dan zijn nummer.
'Goed, je loopt nog vijftig meter verder. Daar wacht een aardige man in een auto op je die je werk aanbiedt. Nogmaals: het is echt safe. Ik wacht hier op je. Ik kan je niet aan het handje meenemen, dus ik zie je hier zo meteen terug.'
En weg is Sheldon.

Raisel kijkt om zich heen. Het park wordt enigszins verlicht door een paar lantaarnpalen. Behalve een zwerfhond zijn er geen levende wezens te bekennen. Raisels hart bonkt en zijn handen zweten.
Wat nu? *Echt safe*, hoort hij Sheldon weer zeggen. Het voelt niet zo. De stem in zijn hoofd zegt dat hij terug moet gaan.
Hij staat langzaam op en kijkt nogmaals om zich heen. Shit, zijn koffer ligt nog in de auto van die gozer.
Dan ziet hij een auto in de verte verschijnen. De koplampen gaan uit en weer aan.
Van Sheldon is geen spoor meer te bekennen.
Met loodzware benen staat Raisel op en hij loopt in de richting van de auto. Waarom doet hij dit? Hij kan nu nog teruggaan. Hij moet nu teruggaan!
Het is niet te verklaren, maar iets in hem duwt hem voort. *Risico's moet je durven nemen*, hoort hij zijn buurman uit het vliegtuig zeggen. Als Raisel twee meter van de auto verwijderd is, hoort hij een zoemend geluid. Het raampje van het portier glijdt naar beneden.
Raisel staat stil, doodstil. Een paar seconden gebeurt er niets, maar dan hoort hij een mannenstem zeggen: 'Kom in de auto, dan kunnen we praten.'
Er gaat van alles door Raisels hoofd. Hij weet niet wat normaal is in Nederland, maar dit waarschijnlijk niet.
De man verroert zich niet, maar zegt dit keer iets luider: 'Het is safe, maak je geen zorgen. Ik kan je veel geld bieden, maar dan moet je wel willen praten.'
Praten wil Raisel wel, maar waarschijnlijk wil die man iets heel anders.
'Wat voor werk hebt u voor mij?' vraagt hij met een overslaande stem.

'Ik wil je eerst beter zien, voordat we afspraken kunnen maken. Kom in de auto. Je hebt mijn woord dat ik je niet zal aanraken of andere dingen zal doen tegen je zin in.'
Raisel twijfelt, weet dat het fout is wat hij doet, maar hoort de stem in zijn hoofd herhalen: *veel geld, veel geld*. Dat is wat hij op dit moment nodig heeft. Sheldon is in de buurt. Wat kan er misgaan?
Raisel zet een paar stappen in de richting van de auto. Nu ziet hij vaag het gezicht en het postuur van een blanke man van middelbare leeftijd.
Het portier aan de passagierskant gaat open.
Raisels ademhaling versnelt. Hij doet nog een paar stappen vooruit, denkt niet meer, bukt als hij bij de auto is gearriveerd en kijkt in de ogen van de bestuurder. Ogen die hem geruststellen. Hij voelt zich iets kalmer. Dan maakt de bestuurder een uitnodigend gebaar door met zijn hoofd te wenken en zegt: 'Sheldon heeft me een halfuur geleden gebeld en je aanbevolen. Zo te zien is het een goede keuze. Kom even zitten.'
Raisels hoofd twijfelt nog altijd ernstig, maar toch laat hij zich op de autostoel zakken.
De man neemt hem langdurig onderzoekend op en vraagt met een vriendelijke stem: 'Je bent pas in Nederland, toch?'
Raisel knikt.
'En je wilt geld verdienen?'
Weer knikt hij.
'Ik kan je driehonderd euro bieden.'
Raisel kijkt heel even opzij naar de man, die hem nog steeds van top tot teen observeert.
'Wat moet ik daarvoor doen?' vraagt Raisel.

'Daar kunnen we het over hebben. Het is ook aan jou. Wat wil je wel en wat niet?'
Raisel geeft geen antwoord.
De man draait aan een paar knopjes en de stem van een of andere Spaanse zangeres galmt door de kleine ruimte.
Altijd heeft Raisel een mening over muziek. Nu niet.
De man kucht een keer. 'Ik wil je tot niets dwingen, begrijp me goed. Ik wil je geld geven omdat ik je mooi vind. Ook als je nu weer weg wilt, is het goed, dan geef ik je alvast een voorschot.'
Wat is dit voor kerel? Geld... alleen maar omdat hij in de auto zit? Nee, die man wil meer, dat is wel duidelijk. Sheldon heeft hem naar een of andere seksmaniak gestuurd! Er wordt een vuil spelletje met hem gespeeld!
'Misschien moeten we morgen op dezelfde tijd afspreken. Dan kun je erover nadenken. Nogmaals: vertrouwen en veiligheid staan voorop en je moet het zelf willen,' fluistert de man.
Raisel haalt zijn schouders op en voelt dat er twee bankbiljetten in zijn handen wordt geduwd. 'Dit is voor jou. Noem me maar Rogier.'
Honderd euro. Honderd euro? Voor vijf minuten in een auto zitten?
'Als je morgen op dezelfde tijd hier bent, geef ik je de rest.'
Raisel klemt de twee briefjes van vijftig in zijn hand, knikt en stapt uit zonder de man aan te kijken.
Gehaast loopt hij terug naar het bankje. Pas nu voelt hij het zweet over zijn rug lopen.
Plotseling loopt Sheldon weer naast hem. Die jongen duikt ook overal onverwachts op.

‘En?’ vraagt Sheldon.
‘Wat en? Lekker ben jij, zeg. Je stuurt me naar een of andere pedofiel!’ Raisels stem slaat over van woede.
‘Kalm aan, broeder. Het betaalt wel vet, hoor. Heb je geld gekregen?’
‘Ja, maar ik heb niets gedaan.’
‘Dan vindt hij je goed. De helft is voor mij, weet je nog? Ga je morgen terug?’
‘Weet ik veel, nee, of heb je soms afgesproken dat je hem weer gaat bellen om hem op de hoogte te houden?’ snauwt Raisel naar Sheldon.
‘Ik heb ook voor hem gewerkt. Echt een goeie gozer. Geloof me. Kom, we gaan een feestje bouwen. Je kunt bij mij blijven slapen. Geef me eerst de helft, vriend. We hebben een afspraak: samsam.’
Een briefje van vijftig verdwijnt in de jaszak van Sheldon. Opgefokt volgt Raisel Sheldon naar de uitgang van het park. Als hij nog één keer omkijkt, ziet hij dat de auto van de man is verdwenen. Alsof het een droom was. Het briefje van vijftig zit toch echt in zijn zak. Morgen tweehonderd? Niets doen wat je zelf niet wilt? Het is inderdaad wel snel verdiend.
Het voelt wel bijzonder als iemand je zo speciaal vindt en zeker als die persoon daarvoor ook nog eens dik wil betalen. Hij is inderdaad naar Nederland gekomen om bijzonder gevonden te worden, maar op deze manier?

6

Zodra ze in de auto van Sheldon zitten, voelt Raisel zijn telefoon trillen. Vast zijn tante. Ze wil hem waarschijnlijk nog een keer het verhaal van haar zoon Angel onder zijn neus wrijven. Hij neemt niet op.

'*Bai trankil*,* je kijkt alsof je diep in de shit zit. Ik help je, weet je,' zegt Sheldon lachend en hij steekt een jointje op.

Het liefst zou Raisel uitstappen, douchen en gaan slapen, maar behalve Sheldon is er niemand die hem op dit moment kan helpen. Misschien is het beter een nacht bij hem te logeren en dan morgen discotheken in de buurt bezoeken om te informeren naar werk. Maandag zal hij toch naar school moeten. Hij heeft met zijn stomme kop de boekenlijst bij zijn tante laten liggen. Lekker gemotiveerde indruk zal het maken als hij zich totaal onvoorbereid bij zijn mentor meldt.

'Wat doen we? Zin in een feestje, of wil je eerst wat eten?' vraagt Sheldon terwijl hij het volume van de cd-speler iets hoger draait.

'Ik heb geen honger, maar is het een probleem als we eerst naar jouw huis gaan? Ik wil me graag douchen en ben erg moe.'

'*No problem*, *relax*. We gaan er een mooie avond van maken.'

---

* Rustig aan.

Sheldon lijkt het allemaal goed voor elkaar te hebben. Het kan Raisel op dit moment niets schelen dat zijn zogenaamde vriend zich waarschijnlijk inlaat met allerlei vreemde praktijken. Als Sheldon hem verder maar met rust laat.
De buurt waarin ze terecht zijn gekomen is opvallend rijk. Grote huizen, dure auto's. Tot zijn verbazing parkeert Sheldon de auto voor een van die gigantische woningen.
'Oké, hier is het. Wacht, ik help je.'
Sheldon haalt de koffer al uit de kofferbak als hijzelf nog het portier opent. Terwijl Sheldon de voordeur van het grote huis voor Raisel openhoudt, zegt hij: 'Je kunt de kamer naast die van mij gebruiken. Op iedere verdieping is een badkamer, dus ga je gang.'
Als ze op de eerste verdieping komen, opent Sheldon een van de vele deuren, loopt de kamer binnen en zet de koffer op de grond. 'Dit is het. Niet verkeerd, toch?'
Dit klopt niet. Een jongen van zijn leeftijd in een villa van minstens één miljoen euro.
'Van wie is dit huis?' vraagt Raisel kortaf.
'Van een vriend van mij, John heet hij. Ik ga je zo meteen aan hem voorstellen,' antwoordt Sheldon.
'En hoeveel gaat deze kamer me kosten?'
'Maak je daar maar geen zorgen over. In de wereld van John is geld geen probleem. Het komt allemaal goed. Ik zie je over een halfuurtje.' En weg is Sheldon.
Raisel loopt een paar keer nerveus op en neer. Alles in de kamer is nieuw en zeker niet goedkoop. Op het tweepersoonsbed ligt een goudkleurig dekbed. Het nodigt uit om eronder te kruipen, zijn ogen dicht te doen en alles te vergeten. Zijn lijf schreeuwt echter om een douche.

De badkamer is ongelooflijk. Minstens zo groot als het huis van zijn moeder. Dit is de eerste keer in zijn leven dat hij in een soort paradisehotel is beland. Nadat hij een stapeltje schone kleren zorgvuldig in een rek heeft gelegd, probeert hij het slot van de deur te vinden. Er ís helemaal geen slot.
Hij gaat met zijn rug tegen de deur staan en kleedt zich langzaam uit. Hij voelt zich absoluut niet op zijn gemak.
Zodra hij onder de douche stapt, spuiten er van alle kanten warme straaltjes water over zijn lijf. Even ontspannen zijn spieren zich en kan hij rustig ademhalen, maar het idee dat er ieder moment iemand voor zijn neus kan staan, laat weinig van de ontspanning over. Snel stapt hij onder de douche vandaan en hij slaat een handdoek om zijn middel.
Het is doodstil in het huis. Als hij zich heeft aangekleed, loopt hij terug naar zijn kamer.
Zijn telefoon ligt op bed. Vijftien gemiste oproepen en drie berichtjes. Het is wel laf van hem om ze te negeren. Straks is er iets mis met zijn familie! Hij belt naar zijn voicemail.
De woedende stem van zijn tante klinkt gek genoeg vertrouwd in dit vreemde huis. Ze noemt hem een ondankbare jongen en eist dat hij terugkomt.
Raisel zet zijn mobieltje uit en gooit het toestel terug op zijn bed.
Er wordt op de deur geklopt. 'Raisel, ben je klaar? John wacht op ons.'
'Ik kom,' antwoordt Raisel. Hij werpt een laatste blik op zijn spullen en loopt dan samen met Sheldon de brede trap af. Het voelt niet goed dat hij hier is. Het voelt helemaal niet goed.
In de woonkamer zit een bejaarde, onaantrekkelijke man onderuitgezakt op een enorme sofa. De ochtendjas die hij

draagt bedekt zijn borst, maar niet zijn blote onderlichaam. Hij wenkt hen en knikt vriendelijk als ze beiden op hem af lopen.
'Zo, Raisel, zo heet je toch? Jij wilt in mijn huis logeren en van mijn diensten gebruikmaken?'
'Het is maar tijdelijk, ik zal morgen verder kijken,' antwoordt Raisel en hij wendt zijn gezicht af. Hij walgt van de hele situatie en wil maar één ding: weg uit deze kamer.
De man neemt hem zwijgend op en lacht dan weer vriendelijk. 'Sheldon zal je uitleggen hoe het hier verder in zijn werk gaat. Neem een glas whisky en maak het je gemakkelijk.'
Sheldon trekt Raisel even aan zijn mouw en leidt hem naar de bar. 'John is een goede man. Zijn eisen zijn heel redelijk. Het is een uitgebluste bejaarde homo, dus hij speelt niets meer klaar. Kom, we drinken een glas,' zegt Sheldon, alsof het allemaal heel normaal is.
'Ik vind het aardig van je dat ik vannacht hier kan slapen, maar als jij denkt dat ik met die man...'
'Wat maak jij toch overal een probleem van! Kom op, broeder, je bent nog maar net in Nederland. Kijk eens om je heen. Je hoeft je nergens zorgen over te maken. Het enige wat je moet doen is die man ervan te overtuigen dat je hem aardig vindt.'
'Sorry, hoor, maar ik ga nu toch liever slapen en morgen ben ik weg. Ik wil je best wat geld geven voor deze nacht, maar ik ben moe,' antwoordt Raisel en hij loopt met zijn nog halfvolle glas naar de deur.
Sheldon trekt hem aan zijn jas terug. 'Wacht even, vriend, voor wat, hoort wat. Gewoon lief zijn voor John. Kom op, we drinken nog een glaasje met hem.'
De ogen van Sheldon zijn plotseling erg onvriendelijk.

'Ik weet het niet, ik drink normaal gesproken niet veel,' sputtert Raisel tegen, maar de hand op zijn rug duwt hem hardhandig naar de sofa.
John knikt vriendelijk en Sheldon neemt plaats naast hem.
'Raisel, kom erbij zitten, dan kijken we naar een spannende video en genieten we alle drie een beetje,' zegt John.
De hand van de bejaarde man raakt licht Sheldons knie.
Als John en Sheldon hem beiden vragend aankijken, zoekt hij naar woorden, maar ze zijn er niet.
'Je bent toch niet bang? Ik ben een onschuldige oude man die het prettig vindt om jong gezelschap te hebben,' lacht John en dit keer laat hij zijn hand op Sheldons bovenbeen rusten.
Raisel kan dit niet. Zijn lijf begint te trillen en hij voelt zijn maag draaien. Als hij niet heel snel op het toilet is, zal de inhoud van zijn maag binnen enkele ogenblikken voor hem op de vloer liggen. Hij zet een stap achteruit en grijpt naar de deurklink.
'Raisel, voel je je wel lekker? Je mag ook gewoon toekijken als je dat prettiger vindt,' hoort hij John zeggen.
Raisel schudt zijn hoofd en loopt met zijn hand tegen zijn mond de kamer uit. Hij rent naar boven en geeft over in het toilet. Hij moet hier weg. Het voelt alsof hij in een film meespeelt, alsof hij een contract heeft getekend waar hij niet meer onderuit kan. Nee, hij heeft niets ondertekend. Niemand kan hem dwingen mee te doen aan dit gore spel.
Nadat hij uitvoerig zijn tanden heeft gepoetst en zijn gezicht heeft gewassen, loopt hij terug naar zijn kamer. Pas nu ontdekt hij dat er ook geen slot op zijn kamerdeur zit. Shit, straks staat die vent in zijn kamer. Hij kijkt naar zijn koffer. Nu weggaan? Waar naartoe?

Beneden hoort hij muziek. Allerlei walgelijke beelden komen in hem op. Zijn maag begint weer te draaien.
Dan valt zijn oog op de ladekast die tegen de muur staat. Hij loopt ernaartoe en probeert de kast te verplaatsen. Het gaat, maar het zweet breekt hem uit. Alle kracht is uit zijn lichaam verdwenen. Waarschijnlijk is het gekraak beneden te horen.
Wanneer de kast voor de deur staat, laat hij zich uitgeput op het bed vallen.

7

De ene nachtmerrie had de andere verdreven. Hij heeft niet meer dan een paar uur geslapen. Beneden is het stil. Dit is zijn kans om het huis ongezien te verlaten. Het is halfzeven. Zo voorzichtig mogelijk schuift hij de kast weg, en met de koffer in zijn hand loopt hij naar de trap. Op zijn tenen en met ingehouden adem van spanning gaat hij de trap af. Als hij er bijna is, ziet hij een beschreven blaadje op de voordeur hangen. Even later leest hij de tekst:

Ik zie je vanavond in het park, broeder.

Waarom laat die gozer hem niet met rust?
Tot zijn opluchting is de voordeur niet op slot. Als hij buiten staat, lukt het hem weer rustig adem te halen. Het is koud en hij heeft geen flauw benul waar hij op dit tijdstip naartoe kan gaan. Terwijl hij zich probeert te oriënteren, denkt hij aan Loulou. Hij moet de volgende keer haar telefoonnummer vragen.
Zijn moeder, broertjes en zusje slapen nu waarschijnlijk nog. Hij stelt zich voor hoe ieder van hen in zijn eigen warme bed ligt. De gedachte aan zijn familie en het kleine blauwe huisje maakt hem eenzaam en moedeloos. Maar hij mag niet opgeven. Niet nu al. Hij moet sterk zijn en zijn familie laten zien

dat hij geen loser is. Als hij zijn diploma haalt en naam weet te maken in de muziekwereld, kan hij met opgeheven hoofd terugkeren naar zijn land. Hij wil niet dat zijn moeder zich moet schamen voor hem, dat zijn vrienden hem achter zijn rug uitlachen.

Als hij aan het einde van de straat komt, laat hij zijn koffer los en probeert nogmaals te bedenken in welke richting hij moet lopen om in het centrum te komen. Shit, het is zondag. Dat betekent dat alles gesloten is, dus ook de winkels en uitzendbureaus. Waarschijnlijk gaat er over een paar uur wel ergens een café open waar hij iets kan eten en drinken.

Even flitst de gedachte door zijn hoofd om terug te gaan naar zijn tante, maar ze zal hem de vreselijkste dingen toewensen. Erger nog: ze zal hem op het eerste het beste vliegtuig terugzetten. Hij zou haar wel kunnen bellen om te vragen naar de boekenlijst van school. En in welke klas hij is geplaatst. Hij pakt zijn mobiel, maar stopt hem meteen weer terug in zijn broekzak. Vermoeid pakt hij zijn koffer en loopt hij verder. Na een halfuur denkt hij de omgeving te herkennen. Ja, geen twijfel mogelijk: daar is het park waar hij gisteren was. Het is een doodnormaal park. Geen vuiligheid op de grond, geen verdachte personen, alleen een man die zijn hond uitlaat. Het lijkt wel of hij gisteravond in een andere wereld heeft doorgebracht.

De man met de hond kijkt in zijn richting. Wat wil hij? De man beweegt zijn hand naar zijn broek. Hij haalt er iets uit. Een telefoon. Een doodnormale telefoon.

Niets, maar dan ook niets wijst erop dat het park ook voor andere doeleinden gebruikt wordt.

Raisel haalt zijn mp3-speler uit zijn binnenzak en probeert met

zijn favoriete mix de paranoïde gedachten die in zijn hoofd rondspoken te verdrijven.
Een paar dagen geleden was hij nog vol goede moed, maar moet je hem nu zien: zijn leven is één grote puinhoop. Hij heeft nauwelijks geld op zak en geen slaapplaats, en hij is nog niet eens aan zijn school begonnen! Om over een baan in de muziek nog maar te zwijgen. God, wat moet hij nu doen? Wat kán hij nu doen? Is er ook maar iemand die het iets kan schelen dat hij bijna kapotgaat van heimwee en diep vanbinnen heel erg bang is dat hij het niet gaat redden?
Zijn telefoon trilt. De behoefte met iemand te praten is zo groot dat hij zonder aarzelen opneemt.
'Raisel, ben jij het? Ik probeer je al zo vaak te bellen. Wat doe je? Tante Noëlla is helemaal op van de zorgen. Je moet terug. Je familie heeft je niet voor niets dat geld gegeven. Wat is er gebeurd? Waarom ben je bij je tante weggegaan? Waar ben je nu, mi yiu?'
Het is fijn de stem van zijn moeder te horen, maar het doet hem onvoorstelbaar veel pijn haar zo teleur te moeten stellen. Zo veel vragen. Wat moet hij haar antwoorden? Dat hij met zijn koffer in een park zit waar hij gisteren een ontmoeting had met een oudere man?
'Mama, het gaat goed. Ik ga morgen naar school en logeer bij een vriend. Het spijt me, maar het gaat echt niet bij tante Noëlla. Geloof me, het komt goed. Maakt u zich geen zorgen.'
Het blijft even stil en de stem van zijn moeder is plotseling erg onduidelijk. Hij hoort wel dat ze praat, maar verstaat haar woorden niet.
'Mama, ik hoor u niet goed. Ik bel snel terug.'

Hij verbreekt de verbinding, schopt tegen zijn koffer en veegt zijn tranen weg. Ze is de laatste in deze wereld die hij pijn wil doen.

In Nederland stikt het van de mensen, maar wat kun je je eenzaam voelen als ze massaal in hun huizen blijven zitten. Raisel heeft zowat de hele dag in de regen gelopen en heeft nog altijd geen idee hoe hij het aan moet pakken. Behalve zijn muziek en de gedachten aan Loulou kan hem op dit moment niets ook maar een beetje opbeuren.
De zorgen over een veilige slaapplaats nemen met het uur toe. Natuurlijk wil hij niet terug naar het park, maar tweehonderd euro is wel heel veel geld. Zeker genoeg voor een rustige, warme nacht in een hotel. Van de dertig euro die hij nu nog over heeft, kan hij geen hotel betalen. Als hij nu precies wist wat die man van hem wil, hoe ver hij moet gaan om het meneer naar zijn zin te maken. Echt verkeerd leek hij in ieder geval niet.
Het idee om ergens buiten op een bankje te moeten slapen, schrikt hem af. Een opvanghuis heeft hij tot dusver nergens kunnen ontdekken en het is inmiddels acht uur. Over een paar uur is het donker.
Het gesjouw met de koffer irriteert hem steeds meer. Nederland irriteert hem. Zijn eigen gedrag irriteert hem nog het meest.
Als een zombie loopt hij terug naar het park. De volumeknop van de mp3-speler draait hij volledig open. Gewoon je ene voet voor de andere zetten en niet nadenken.
Op het bankje waar hij gisteren met Sheldon zat, zitten nu twee jongens van ongeveer zijn leeftijd. Ze kijken hem opvallend lang aan en praten daarna verder met elkaar.

Dan duikt er plotseling een man op die recht op hem af loopt. Hun ogen ontmoeten elkaar. De man blijft op een meter afstand van hem stilstaan. De mond van de man beweegt, maar Raisel kan hem niet verstaan. Als hij de muziek zachter heeft gezet, herhaalt de man zijn woorden: 'Weet je misschien hoe laat het is?'
Raisel schudt zijn hoofd en loopt met een boog om de man heen. Zijn benen voelen zwaar, maar hij loopt snel verder.
In de verte staan twee auto's. In zijn herinnering was het een zwarte auto, maar op deze afstand kan hij de kleuren moeilijk onderscheiden. Uit een van de auto's stapt een man, nee, een jongen. Shit, het is Sheldon.
'Dag, broeder, ik wist dat je zou komen. Wel vervelend, hè, dat gesjouw met die koffer.'
Weer die vette lach op het gezicht van die gozer.
Gewoon de ene voet voor de andere zetten, denkt Raisel, maar zijn voeten staan stil. Hij zet de koffer op de grond en zegt geïrriteerd: 'Ik regel mijn eigen zaakjes wel.'
'Natuurlijk, maar de man wacht niet lang. Ik zie je later.' En weg is hij weer.
Het portier van de auto gaat open. Dezelfde Spaanse muziek. Langzaam loopt Raisel met de koffer in zijn hand naar de openstaande deur.
'De achterbak is open, leg je koffer er maar in,' zegt de man vanuit de auto.
Raisel twijfelt.
Als hij na een paar tellen nog steeds met de koffer in zijn hand staat, komt de man uit de auto en tilt de koffer in de achterbak. Daarna maakt de man een uitnodigend gebaar en stapt zelf weer achter het stuur.

Met een bonkend hart neemt Raisel naast hem plaats.

'Ik had gehoopt dat je zou komen.'

Raisel ziet alleen de hand van de man die heel langzaam naar zijn been beweegt. Hij laat het toe, maar voelt de misselijkheid weer opkomen.

'Je voelt helemaal stijf van de spanning,' fluistert de man.

De hand van de man blijft als een betonblok op zijn been liggen.

'Is het de eerste keer dat je zoiets doet?'

Raisel knikt.

'Ik vind je erg mooi, maar ik wil dat je het prettig hebt.'

Weer knikt Raisel. Hij durft zich amper te bewegen.

'Wil je mij ook aanraken, of wil je alleen jezelf aanraken?'

Als hij niet antwoordt, zegt de man: 'Ik vind het ook goed als ik je een beetje mag aanraken. We kunnen naar een andere plaats rijden als je dat prettiger vindt.'

Prettiger?

'Ik vind het goed hier,' antwoordt Raisel nerveus.

De vreemde hand streelt zijn been. Steeds hoger.

'Vind je het lekker?' vraagt de man nu duidelijk opgewonden.

Raisel sluit zijn ogen en probeert ook zijn gedachten af te sluiten. Tweehonderd euro. Hij hoeft het opgewonden lichaam naast hem niet aan te raken. Hij hoeft niets te doen, alleen de hand van de man toe te laten. Het voelt afschuwelijk smerig. Het gekreun van de man neemt toe. Nog even volhouden. Tweehonderd euro.

8

Raisel had er niet van opgekeken dat Sheldon hem had opgewacht en de helft van het geld had opgeëist. Waarschijnlijk was het wel de laatste keer geweest dat Sheldon hem geld afhandig had kunnen maken. De man had hem uitgelegd dat het vanaf nu verstandiger zou zijn te wachten op een telefoontje van hem. Zonder na te denken had Raisel hem zijn nummer gegeven. Niet dat hij van plan is nog een keer aan zijn lijf te laten rotzooien.
Hij was met zijn koffer naar het dichtstbijzijnde café gegaan en had daar de eigenaar het adres van een betaalbaar hotel in de buurt gevraagd.

Nu hij op het gammele bed van het goedkoopste hotel in de buurt ligt, wordt zijn hartslag weer normaal. Geen zogenaamde vrienden die hem alleen maar als geldbron zien, geen geile, hijgende mannen die aan zijn lijf zitten. In dit hotel is hij een anonieme gast. Normaal gesproken vindt hij het prettig veel mensen om zich heen te hebben, maar op dit moment is het een opluchting om alleen te zijn.
Hij zou wel graag zijn moeder willen bellen om haar te vertellen dat alles goed gaat, maar hij zal haar alleen maar leugens kunnen bieden. Hij besluit onder de douche te gaan en daarna een keer heerlijk te gaan slapen.

Als hij onder de warme straal staat, sluit hij zijn ogen. Steeds is er weer het beeld van de mannenhand op zijn been. Er zat een ring om een van de vingers. Een trouwring? Qua leeftijd zou die man zijn vader kunnen zijn. Zou hij trouwens zelf kinderen hebben? Raisel kan zich er niet veel bij voorstellen. Zelf is hij zonder vader opgegroeid. Dat wil zeggen: hij was zeven jaar toen zijn moeder zijn vader het huis uit zette. Zijn vader dronk nogal veel en werd dan behoorlijk agressief. Ongelooflijk dat zijn moeder haar vijf kinderen met zo veel vrolijkheid en warmte heeft kunnen grootbrengen. Zelf had ze nooit één kwaad woord over zijn vader gezegd. Dat deed zijn tante wel!
Als hij weer op zijn bed ligt, probeert hij aan iets leuks te denken. Loulou. Nog vijf dagen. Als ze er maar is. Hij moet zorgen dat hij genoeg geld heeft om in Den Bosch te komen, om de entree te kunnen betalen, maar zeker ook om haar te kunnen trakteren. En een nieuwe outfit is ook hard nodig.
Met het geld dat hij nu heeft, kan hij slechts één nacht in dit hotel blijven.
Zijn telefoon gaat. Helaas, nu even niet.
Hij moet morgen alles op alles zetten om school, werk en woonruimte te regelen. Daarna ziet hij wel weer verder.
De telefoon gaat weer. Zijn moeder? Nee, niet op dit tijdstip. Hij zet het geluid van de televisie harder, maar de beltoon van zijn telefoon klinkt er nog steeds bovenuit. Hij neemt op.
'Ja, hallo.'
'Dag, Raisel, je spreekt met Rogier. Ik heb een voorstel. Morgen moet ik voor zaken twee dagen naar Parijs. Ik hoorde van Sheldon dat je nog steeds onderdak zoekt en ik zou graag wat gezelschap hebben voor een paar dagen. Daarom wil ik je

voorstellen om met me mee te gaan. Ik bied je vijfhonderd euro en betaal natuurlijk het verblijf.'
Parijs? Morgen? Vijfhonderd euro?
'Ik moet morgen naar school, een baan en woonruimte regelen. Sorry,' antwoordt Raisel.
'Als je met me meegaat, komt dat in orde. Ik heb voldoende contacten.'
'Waarom wilt u dat ik meega?'
'Zoals ik al zei: ik zit verlegen om gezelschap.'
'En wat moet ik daarvoor doen?'
'Gewoon meegaan. Niets wat je niet wilt. Waar ben je nu?'
'In een hotel.'
'Kom morgen om zeven uur naar het park.'
'Zeven uur 's morgens?'
'Ja, ik zie je daar.'
De verbinding wordt verbroken.
Parijs? De stad waar hij zo veel fantastische verhalen overgehoord heeft. Het kan niet waar zijn dat hij vijfhonderd euro krijgt om twee dagen in een van de mooiste wereldsteden te verblijven. Oké, die man wil waarschijnlijk zijn pleziertje. Maar wat als die vent steeds meer van hem wil?
Ik wil dat je het prettig hebt, had de man gezegd. Bovendien, hij is er zelf ook nog bij. Maar als hij zich morgen niet meldt op school, kan hij het wel vergeten. Toch, als die man echt van alles voor hem kan regelen...?

9

Om halfzeven wordt hij gewekt door het sms-deuntje van zijn telefoon.
Goedemorgen, ik wacht op je. Rogier
Parijs. Aan meneers wensen voldoen. Geld. Veel geld. Maar is het niet veel slimmer om eerst te zorgen dat zijn schoolzaken in orde zijn, dat hij werk vindt, woonruimte zoekt? Waarom zou hij geloven dat die man alles voor hem gaat regelen? Vijfhonderd euro, dat is wel ruim voldoende om dit weekend naar Den Bosch te gaan en mooie kleren te kopen. De school begint waarschijnlijk toch met introductiedagen en kennismakingsgesprekken. Wat zei die man in het vliegtuig ook alweer? *Je moet risico's durven nemen.*
Raisel kleedt zich aan, poetst zijn tanden, plast, gooit zijn spullen in de koffer en verlaat de kamer. Hij heeft vooruitbetaald, dus is het in orde om de sleutel op de balie achter te laten.
Het is nog donker en het regent weer eens een keer. Zijn capuchon houdt zijn hoofd redelijk droog, maar de rest van zijn lijf wordt behoorlijk nat en koud. De weg naar het park is hooguit tien minuten lopen. Zijn maag knort. Die rotkoffer is zo irritant.
In het park hangt een naargeestige sfeer. Er is geen mens of auto te bekennen. Hij gaat op een bankje zitten. Het is vijf voor zeven.

Dan verschijnt de auto. Raisel staat in een reflex op en loopt dit keer doelgericht op het voertuig af. De achterklep gaat omhoog en hij schuift de koffer in de bagageruimte. Niet dat het dit keer gemakkelijk is naast de man plaats te nemen, maar hij voelt zich iets minder opgefokt dan de eerste twee keer. Hij herkent de eigenlijk wel aangename geur van de man. Alles gaat automatisch: de deuren, de muziek, de hand op zijn been, de auto die de snelweg op rijdt.
Het blijft vijf minuten stil. Akelig stil. De man schraapt zijn keel en zegt: 'Ik heb om twaalf uur een bespreking, dus we moeten flink doorrijden. Als je nog even wilt slapen, kun je de stoel in de ligstand zetten.'
Voordat Raisel antwoord kan geven, voelt hij de rugleuning van de stoel naar achter bewegen. De man – de naam Rogier wordt steeds door zijn hersenen geweigerd, laat staan dat hij het uit zijn strot kan krijgen – heeft ondanks zijn vreemde behoeften een vertrouwd gezicht. Een gewone man, met ongewone wensen.
'Ik wil liever rechtop zitten,' zegt Raisel. Het irriteert hem vreselijk dat een vreemde denkt te weten wat hij prettig vindt.
De man laat de leuning weer omhoogkomen en kijkt hem onderzoekend aan. 'Je bent helemaal nat. Wil je je kleren uitdoen? Ik heb nog wel een deken achterin liggen.'
Wat denkt die vent wel!
Raisel antwoordt dit keer heel duidelijk: 'Nee, ze drogen vanzelf. Ik heb wel ontzettende honger.'
'Geen probleem. Ik moet zo meteen tanken, dan koop ik koffie en broodjes voor je.'
'Wat gaat u in Parijs doen?'
'Laten we afspreken dat we niet over privézaken praten. Nu

niet, nooit. En noem me gewoon Rogier. We proberen een aangename tijd met elkaar te hebben. Ik geef je geld, veel geld zelfs, maar dan wil ik wel dat je een beetje lief voor me bent en mij je woord geeft dat je alles strikt geheimhoudt. Ik kan het me niet veroorloven als... nou ja, je begrijpt dat het noodzakelijk is dat ik je kan vertrouwen.'

'Denkt u dat míjn familie en vrienden blij zijn als ze dit te horen krijgen...'

Het blijft stil totdat de man een afrit op rijdt. 'Blijf maar zitten, ik tank en haal meteen wat te eten en te drinken.'

De man neemt de autosleutels mee en nadat hij getankt heeft, loopt hij naar het aangelegen restaurant.

De zwarte aktetas van meneer ligt op de achterbank. Raisel zou erin kunnen kijken om meer van hem te weten te komen. Shit, er zit een cijferslot op. Misschien in de zwarte jas die aan een haak hangt? Hij werpt een snelle blik naar buiten om te zien of de man er al aankomt. Dan voelt hij in de binnenzak. Iets zachts, waarschijnlijk een zakdoek, en een pasje. Hij haalt het plastic kaartje eruit. *Rechtbank Amsterdam*, leest hij. In de achteruitkijkspiegel ziet Raisel iemand naderen. Snel stopt hij het pasje terug. Misschien moet de man binnenkort voorkomen? Is hij een drugsdealer? Of is hij het brein achter een terroristische organisatie? Wat voor zaken gaat hij in Parijs doen?

De man heeft twee broodjes en een beker warme koffie voor hem meegenomen.

Dankbaar neemt hij het aan.

Ondertussen heeft de man de auto gestart en rijden ze weer de snelweg op.

Het voelt goed om iets in zijn maag te hebben.

‘Ik heb een luxehotel besproken, met whirlpool, allerlei geluidsapparatuur en roomservice. Alles wat je je maar kunt wensen. Er is wel één belangrijk ding: je blijft op de kamer,’ zegt de man.
‘Wat? Dat meent u niet. Dan zet u me maar meteen bij het station af, dan ga ik wel met de trein terug. Ik moest het wel prettig vinden. Het zijn uw woorden.’
‘Het spijt me, maar het kan niet anders. Ik zal zorgen dat je niets tekortkomt.’
‘U hebt het recht niet mij twee dagen op te sluiten.’
‘Dat heb ik ook niet, maar wacht nu maar af tot je het ziet, dan wil je niet eens naar buiten. Laat je verwennen, jongen, en geniet ervan.’
De man zet een cd op en Raisel voelt de vingers van de man over zijn wang glijden. ‘Je bent mooi, dat kan je rijk maken.’

10

Het hotel is inderdaad indrukwekkend. Het ligt midden in het centrum, op ongeveer een halve kilometer van de Eiffeltoren. Zodra de man de auto in de parkeergarage van het hotel heeft geparkeerd, komt een jongen van Raisels leeftijd, gekleed in een apenpakje, de koffers ophalen.
Het meisje bij de incheckbalie kijkt Raisel onderzoekend aan. Nee, het is niet mijn vader, ik weet niet eens hoe hij echt heet, maar ik heb het geld nodig, antwoordt Raisel in gedachten. Al zou hij het haar op dit moment graag willen uitleggen, zijn Frans is daar te belabberd voor.
'*Bonjour messieurs. La même chambre comme toujours?*' vraagt het meisje lachend. Er wordt wat over en weer gepraat en het meisje overhandigt de man de sleutel. De jongen in het apenpakje duikt plotseling weer op en loopt met de bagage de trap op. Eindelijk iemand anders die met zijn zware koffer sjouwt.
De deur van kamer 169 wordt geopend. Niet normaal, man! Een megagroot rond bed met overdreven veel fluwelen kussens, en yes: een breedbeeld-tv.
De koffers worden naast het bed gezet en de loopjongen verdwijnt nadat hij dankbaar een bankbiljet van tien euro in ontvangst heeft genomen.
'Je kunt je straks opfrissen in de badkamer. Ik bestel iets te eten voor je en als je je verveelt, kun je een dvd bekijken of

naar muziek luisteren. Ik ben rond zes uur terug. Je weet onze afspraak. Het zal je echt gelukkig maken als je je eraan houdt.'
Na deze woorden loopt de man naar de badkamer.
Is dit echt? Ben ik Raisel Osman, een jongen van zeventien die graag in Nederland wil doorbreken in de muziek? Waarom laat ik me dan opsluiten in een dure kamer in Parijs, waar een man van middelbare leeftijd me dik voor betaalt? Juist ja, voor het geld.
Het toilet wordt doorgetrokken en even later loopt de man met snelle passen op Raisel af. Hij legt beide handen op Raisels schouders en fluistert: 'Als ik bij terugkomst je prachtige naakte lichaam mag aanschouwen, zal ik iets moois voor je meenemen.' Hij wacht niet op een antwoord en verlaat met zijn aktetas de kamer.
Raisel laat zich op het bed vallen en schopt zijn schoenen uit. Zijn moeder zou hem hier moeten zien. Niet te geloven.
Er wordt geklopt. Ze kunnen hem ook geen minuut met rust laten! Hij loopt naar de deur en rukt die open. Weer een man in een apenpak, maar dit keer is de man een stuk ouder. '*Votre déjeuner*,' zegt hij zeer plechtig. De man duwt een karretje de kamer in en knipoogt op een gluiperige manier naar hem. Gadver, die blik! Die bejaarde, Franse viezerik denkt toch niet dat hij met hem...?
Geen enkel woord Frans schiet hem te binnen. De oude gorilla mompelt iets onverstaanbaars. Als Raisel zich omdraait, staat de man als een houten klaas naast het karretje.
'Ja hallo, wat wil je nu? Ik heb geen geld, hoor, als je daarop wacht.' Raisel maakt een onvriendelijk wegwerpgebaar en de man verlaat de kamer.
Raisel haalt het deksel van een zilveren schaal en de geur van

geroosterd vlees verspreidt zich door de kamer. Er is zelfs een glas wijn voor hem ingeschonken.
Hij zet het deksel terug op de schaal. Hij heeft net zo veel zin om te eten als om die Rogier te plezieren.
Na een minuut of vijf komt hij in beweging. De koffer van de man staat naast het bed. Hij probeert de sluiting. Op slot. Goed, dan rest hem niet veel anders dan een bad te nemen, naar muziek te luisteren, een film te bekijken, of... Parijs te gaan verkennen. Hoeveel geld heeft hij bij zich? Niet meer dan een paar euro, daar kom je niet ver mee. Stel dat hij op kosten van Rogier een taxi bestelt en zich laat vermaken in een of andere hippe tent?
Zijn telefoon gaat.
'Heb je lekker gegeten? Er ligt een cadeautje voor je onder het kussen. Heb een beetje geduld met me. Vermaak je je een beetje?'
'Ja hoor, er was zojuist een aantrekkelijke man met allerlei lekkers op de kamer. Ik ga waarschijnlijk nog meer bij hem bestellen,' antwoordt Raisel opstandig.
'Is goed, bestel wat je wilt. Ik vind het een fijn idee dat je je vermaakt. Ik moet ophangen, maar ik kan je misschien lekker maken met het idee dat ik iets speciaals voor je gevonden heb. Tot later.'
Het went dat je geen kans krijgt om te antwoorden.
Onder het kussen ligt inderdaad een keurig ingepakt pakketje. Dolce & Gabbana.
Toe maar, meneer wil ook nog zijn lichaamsgeur bepalen.

Twee gloednieuwe dvd's en een heerlijk uur in het spectaculaire bad hebben, ja toegegeven, de middag minder saai gemaakt dan Raisel had verwacht. Het is echt niet zo dat hij

klakkeloos aan meneers wensen wil voldoen, maar de enorme verwennerijen maken hem als een gehoorzaam klein kind. Het lijkt wel alsof hij in een toneelstuk meespeelt. Gewoon je rol goed spelen, dan word je er vet voor betaald.
Als hij onder het frisgewassen laken kruipt, houdt hij zijn boxershort aan. Hij hoeft toch niet aan alle verwachtingen te voldoen? Hij voelt zich moe, heel erg moe.

De hand op zijn buik doet hem beseffen dat de man terug is en naast hem ligt.
'Was je zo moe? Blijf maar lekker liggen. Doe je ogen dicht en relax.' De hand streelt zijn lijf en hoezeer hij de situatie verafschuwt: zijn lichaam sputtert dit keer minder tegen.
'Je bent een mooie jongen, je bent lekker,' hoort hij de man hijgen.
Het opgewonden lichaam van de man beweegt steeds sneller op en neer en hij voelt de hete geile adem in zijn nek.
Hij moet denken aan een bezoek bij de tandarts. *Probeer je te ontspannen. Het is zo voorbij. Als je tegenwerkt doet het meer pijn. Kijk naar de lamp die boven je hangt. Tel tot honderd, desnoods tot tweehonderd. Even flink zijn. Zo meteen mag je spoelen.*
De man kreunt en rolt op zijn rug.
Het blijft een paar minuten stil.
'Ik heb iets voor je meegenomen,' zegt de man. Zijn stem klinkt weer normaal.
'Het zit in mijn jaszak, pak het alsjeblieft.'
Raisel stapt uit bed en als hij het pakje openmaakt, kan hij zijn verbazing niet onderdrukken: een Rolex-horloge.
'Goede zaken gedaan vandaag?' vraagt Raisel spottend, terwijl hij het horloge voorzichtig streelt.

De man knikt terwijl hij onophoudelijk Raisels lichaam observeert.
'Ik neem aan dat ik me nu kan aankleden?' zegt Raisel.
'Natuurlijk. Ik neem je mee naar een goed restaurant en misschien laat ik je nog een beetje van het nachtleven proeven. Maak je maar mooi, we vertrekken over een halfuur.'

De drukte van de stad verdrijven voor even zijn zorgen. Parijs leeft. Honderden gekleurde lichten, dure spullen in de prachtige etalages, vrolijke gitaarmuziek op iedere hoek van de straat, getoeter van de duizenden auto's. Hier is hij weer een van de vele mensen die op weg zijn naar hun bestemming. Het gevoel een speciaal persoon te zijn, bevalt hem wel. Dat de man allerlei eisen aan hem stelt minder.
Wat denken de mensen die hen zo samen zien lopen? Valt hun de combinatie van een oudere man met een jongen niet op?
De man wordt gebeld.
'Met mij. Hoe is het?'
Heel even kijkt de man Raisel aan, maar richt zich vervolgens weer op het telefoongesprek.
'Overmorgen rond tien uur ben ik weer terug. We kunnen dan nog even naar dat partijtje als je dat wilt, maar ik blijf liever bij jou.'
Weer kijkt de man Raisel even vluchtig aan.
'Zeg haar maar dat ze niet op een doordeweekse dag kan uitgaan. Ik heb met haar afgesproken dat ze misschien het komende weekend mag, dus daar moet ze zich maar bij neerleggen.'
De man staat even stil en luistert een paar seconden.

'Goed, dan zie ik je overmorgen. Dag.'
De telefoon verdwijnt in de binnenzak van zijn colbert.
'Was dat je vrouw?' vraagt Raisel even later aan de man.
'Weet je nog dat we afgesproken hebben niet over privézaken te praten?'
Zwijgend lopen ze een zijstraat in waar allerlei etensgeuren hun tegemoet waaien.
'Hier is het,' hoort hij de man zeggen en hij voelt de hand van de man over zijn rug wrijven.
De vrouw die hen ontvangt, blijkt de man te kennen. Ze groeten elkaar alsof ze al jaren dik bevriend zijn. Het valt Raisel op dat er nooit namen genoemd worden.
Er is een tafeltje achter in het restaurant voor hen gereserveerd. De man neemt tegenover hem plaats en knipoogt een keer. 'Waar heb je zin in? Neem iets speciaals. Geld speelt geen rol.'
'Frites met vlees, maar ik moet eerst even naar het toilet.'
'Naast de bar is de trap die naar de toiletten leidt.'
Als Raisel boven aan de trap is aangekomen, staat hij tegenover de nooduitgang. Al zou hij het willen: hij kan geen kant op. Hij moet het slimmer aanpakken en snel zorgen dat hij contant geld op zak heeft. Hij is compleet afhankelijk van de man, en dat geeft hem een beklemmend gevoel.

II

De grote hoeveelheid drank heeft hem verdoofd. De man had hem na het eten het nachtleven van Parijs leren kennen. Met geen mogelijkheid zou Raisel op dit moment kunnen navertellen waar ze geweest zijn. Tenten waar hij zelf nooit terecht zou zijn gekomen, in elk geval. Niet alleen vanwege de hoge entreegelden, maar ook de nachtshows met veel glamour maar weinig kleding hadden nooit op zijn verlanglijstje gestaan. De man had hem nauwlettend in de gaten gehouden, maar had hem niet aangeraakt. Waarschijnlijk had hij zijn behoeften opgespaard voor de komende nacht.

Raisel heeft zich lange tijd niet zo relaxed gevoeld. Het laatste drankje, dat de man speciaal voor hem op de hotelkamer heeft gemixt, maakt zijn spieren en hoofd loom, alsof hij er alle controle over verliest. Hij laat zich achterover op het bed vallen en sluit zijn ogen. Dat hij even later uitgekleed wordt, doet hem niets meer. Slapen, dat is wat hij wil. De man doet maar wat hij niet laten kan.

Het is vijf uur in de nacht als Raisel wakker wordt. Zijn mond voelt aan als karton en zijn blaas staat op springen. De man ligt naast hem. Raisel laat voorzichtig zijn benen uit het bed glijden. Zijn kleren hangen keurig opgevouwen op de stoel.

Hij graait zijn boxershort van de leuning en strompelt naar de badkamer. Zijn hoofd bonkt en na twee glazen water voelt zijn mond nog steeds stroef aan.
Als hij weer de slaapkamer binnen komt, bekijkt hij het naakte, behaarde lichaam van de man.
Op een paar meter van het bed blijft hij aarzelend staan.
Als hij nu een fototoestel had... Natuurlijk: met zijn mobieltje.
Voorzichtig haalt hij het toestel uit zijn jaszak, hij maakt snel een foto en stopt het mobiel daarna terug. Wie weet komt die foto ooit nog van pas.
In zijn benen lijkt wel pap te zitten en in zijn maag is het oorlog. Voorzichtig kruipt hij terug in bed, zo ver mogelijk van de man vandaan. Dan ziet hij de aktetas open op de tafel liggen. Hij heeft toch op zijn minst het recht om te weten hoe de man in werkelijkheid heet? Als hij rechtop gaat zitten, beweegt de man zijn armen en even lijkt het erop dat hij wakker wordt. Het plan van de aktetas moet hij maar even uitstellen. Dat is trouwens ook beter voor zijn maag.

Het dichtslaan van de kamerdeur wekt hem.
'Goedemorgen, fijn geslapen?' vraagt de man vriendelijk terwijl hij het karretje gevuld met ontbijtspullen naar het bed duwt. 'Blijf maar lekker liggen en eet iets als je honger krijgt. Ik zie je vanavond. Oh ja, dezelfde regels als gisteren, goed?'
Raisel kruipt onder het laken en draait zich demonstratief om.
De deur wordt zachtjes dichtgedaan.
Prima, ga maar fijn zaken doen en vooral veel geld binnenhalen, dan kan ik straks met een vette beurs naar huis. De hele

dag in bed is zo'n slecht vooruitzicht nog niet, zeker nu hij de nieuwste muziek-dvd's heeft ontdekt. Normaal gesproken lukt het hem altijd tijdens het luisteren van goede muziek zijn hoofd helemaal leeg te maken, maar op dit moment vraagt hij zich voortdurend af wie die man is. Hoe heet hij? Wat voor soort werk heeft hij? Doet hij dit ook met andere jongens? Het ziet ernaar uit dat hij getrouwd is en zelfs kinderen heeft. Er moet toch ergens een teken of spoor zijn om iets meer te weten te komen? Hij slentert naar de badkamer. Gruwelijk, hij voelt zich zo ontzettend slap. Wat heeft die man gisteren voor hem gemixt? Op de wastafel staat de toilettas van zijn kamergenoot. Hij ritst hem open. Oh, meneer gebruikt zelf ook Dolce & Gabbana, een tandenborstel, tandpasta, deodorant, kam, aftershave, en een strip met pillen. Is hij ziek of zo? In het zijvakje zit een schone zakdoek met daarop twee geborduurde letters: J K.

De koffer van meneer zit nog altijd stevig op slot. Het blijft een raadsel. Misschien maar goed ook.

Raisel begint trek te krijgen. *Je kunt bestellen wat je wilt.* Dat had de man toch gezegd?

Hij pakt de menukaart die naast het bed ligt. Het duurste gerecht... Eens even kijken. Tournedos, nee, *huitre*, oh nee, *truffes*. Honderdtachtig euro! Goed, geen idee wat het is, laat maar eens komen. Oh, en ook iets te drinken. Vin rouge, nee, champagne, natuurlijk. Ach, voor een zacht prijsje: honderdtwintig euro.

Hij drukt op het roomserviceknopje en de oude gorilla staat binnen twee minuten voor zijn neus.

Raisel wenkt hem en wijst op de kaart het gewenste eten en drinken aan.

De man fronst zijn voorhoofd en knikt daarna langzaam.
'Oké, opschieten, ik heb nog meer te doen vandaag, ouwe gorilla,' zegt Raisel met een gemaakt lief stemmetje, waardoor er een glimlach op het gezicht van de ouwe verschijnt.
Krijgt die man geen last van zijn nek van al dat geknik?
Raisel gaat op het bed zitten en stopt een dvd in de recorder. Het duurt wel lang voordat het eten komt. Waarschijnlijk moeten ze die truffes, wat het ook moge zijn, nog zelf gaan vangen.
Als hij helemaal in trance is door de muziek staat de oude aap met zijn karretje plotseling in de kamer. '*Excusez*,' zegt hij als Raisel de koptelefoon afzet.
Op een groot wit bord liggen een tiental hoopjes zwarte klei, tenminste, daar lijkt het op. De fles champagne staat in een zilveren vaas. Het is toch niet te geloven dat je hiervoor een slordige driehonderd euro moet betalen!
Langzaam loopt hij naar zijn slaaf, die weer stokstijf naast het karretje blijft staan.
'Oké, dan moest ik maar eens een hapje nemen, vindt u ook niet?' Met duim en wijsvinger pakt hij een van de zwarte hoopjes op en houdt het voor zijn neus. Het ruikt niet uitnodigend, maar hij wil niet onbeleefd zijn en gooit het zwarte geval in één keer in zijn mond. Het duurt misschien twee seconden voordat het weer op het bord belandt. Gadver, wat smerig. Als de man hem vragend aankijkt, zegt Raisel: 'Ja, sorry hoor, maar dit vreet een straathond niet eens.' Gelukkig is de champagne redelijk te drinken.
Goed, wat zullen we nu eens bestellen?
Als hij terugloopt om de menulijst te pakken, stopt hij halverwege de kamer, omdat zijn oog op de verlichte M valt, een paar honderd meter verder van het hotel.

Raisel draait zich om naar de man en beveelt hem: '*Bring me two Big Macs.*'
Het vragende gezicht van de man ziet er echt komisch uit.
'Hup, hup, ik heb honger.' Raisel wrijft een paar keer over zijn buik. De man knikt en verlaat daarna hoofdschuddend de kamer.
Dit is kicken. Volwassenen die voor hem lopen. Als zijn moeder dit zou zien, zou ze hem waarschijnlijk een klap verkopen. 'Jongen, je laat oudere mensen niet voor je werken, schaam je.'
Ineens overvalt hem een gevoel van heimwee. Hij mist zijn moeder. Op dit moment mist hij zelfs haar gemopper. Niet dat hij altijd naar haar woorden luisterde, maar haar bemoeienissen gaven hem wel vaak het gevoel dat ze echt van hem hield. En dan haar heerlijke maaltijden! Zeker weten dat de meesterkoks in deze wereldstad hun petje voor haar af zouden nemen. Als hij zijn ogen dichtdoet, ziet hij haar door de kleine, maar gezellige keuken lopen. Altijd een handdoek binnen handbereik om het zweet van haar gezicht te vegen. Hij zou haar nu even kunnen bellen... Nee, het is beter haar over een paar dagen te bellen. Dan kan hij hopelijk vertellen dat hij met school is begonnen en woonruimte heeft gevonden.
Als er na een halfuur eindelijk op de deur wordt geklopt, reageert Raisel zo vriendelijk mogelijk. De oude man loopt statig de kamer binnen. In elke hand heeft hij een doos. '*Votre Big Macs, monsieur.*'
Raisel neemt de doosjes aan en lacht naar zijn knikkende bediende, die achterwaarts de kamer uit loopt.
De Big Macs smaken uitstekend. Met een verzadigd gevoel

gaat Raisel onder de douche en hij voelt zich zelfs een moment echt relaxed.
Als hij na een tijdje de deur van de badkamer dicht hoort slaan, draait hij zich geschrokken om.
'Mag ik erbij?' vraagt Rogier en een paar seconden later voelt Raisel twee zachte handen op zijn buik.

12

Rogier had Raisel bij het verlaten van het hotel de beloofde vijfhonderd euro gegeven, en tot Raisels verbazing had hij niets gezegd over het bestellen van de exclusieve gerechten. Tijdens de terugreis had de man hem ondanks hun privacyafspraken gevraagd naar zijn plannen. Raisel had hem heel kort verteld over zijn muziekambities. Gelukkig had de man daarna een cd opgezet en hadden ze de laatste driehonderd kilometer nauwelijks nog een woord met elkaar gewisseld. Rogier had hem bij hetzelfde hotel in Eindhoven afgezet en hem gezegd dat hij snel contact zou opnemen en dat hij zijn belofte wat betreft de schoolzaken zou nakomen.

Inmiddels is Parijs alweer drie dagen geleden en hij heeft nog steeds geen baantje gevonden. Steeds maar weer kreeg hij te horen dat hij niet de vereiste diploma's had, maar voor hem is het duidelijk: ze zitten niet te wachten op een Antilliaan. Misschien kan die Rogier ook een baantje voor hem regelen?
Het was Raisel wel gelukt een veel te dure kamer in een rijtjeshuis in het centrum te huren. De school had hij definitief uit zijn hoofd gezet. Hij was ervan overtuigd dat de schoolleiding hem meteen in zijn kraag zou grijpen en dat op advies van zijn tante de politie ingeschakeld zou worden. Misschien wel een beetje lullig voor Rogier.

Zijn moeder had hem nog een keer gebeld. Toen ze tijdens het telefoongesprek in huilen was uitgebarsten, had hij geen woord meer kunnen uitbrengen.
De man had hij gisteravond in het park ontmoet. Tweehonderd euro voor een halfuurtje. Het blijft onvoorstelbaar. Het geld wint het van de walging. Gelukkig had de man hem niets meer gevraagd over school. Waarschijnlijk had het te maken met de regel niet over privézaken te praten. Even had Raisel het gevoel gekregen dat iemand hem was gevolgd na zijn bezoek in het park, maar tot zijn opluchting bleek dat loos alarm te zijn.

Gelukkig is het vanzelf ook weer vrijdag geworden. Over een paar uur hoopt hij Loulou te zien. Hij verlangt ontzettend naar haar. Zijn nieuwe outfit geeft hem zelfvertrouwen. Daarnaast heeft hij voorlopig genoeg geld om haar te trakteren.
Na een kwartier in de rij te hebben gestaan en uitvoerig gecontroleerd te zijn door de uitsmijters, staat hij dan eindelijk aan de bar. Mooie, uitdagende meisjes lopen voorbij, maar hij heeft er nauwelijks belangstelling voor.
En dan ziet hij haar. Ze staat aan de overkant van de zaal en is druk in gesprek met een blanke jongen. Shit, ze zal toch niet...?
Raisel zet zijn lege flesje op de bar en loopt langzaam naar haar toe. Als hij er bijna is, kijkt ze hem verrast aan en lacht ze op een manier die hem meteen weer vertrouwen geeft. Ze zet een stap in zijn richting en zegt: 'Hallo, Raisel, wat leuk dat je er bent.' Het klinkt gemeend.
Hij zou haar willen aanraken, kussen, strelen, maar zijn enige reactie is een glimlach. Ze is zelfs nog mooier dan hij zich herinnerde.

'Wil je ook iets drinken, of wil je me nog een keer imponeren met je danstalent?' vraagt ze hem met haar mooie hese stem.
'Het laatste graag,' antwoordt hij. Hij wil niets liever dan haar helemaal voor zichzelf hebben en heel dicht bij haar zijn.
Ze dansen uitdagend en hun ogen laten elkaar niet meer los. Zijn handen voelen haar warme lichaam en hun lippen vinden elkaar. Dit is zo heerlijk.
Als er op zijn schouder wordt getikt, draait hij zijn hoofd met tegenzin om. Zijn hart staat even stil en zonder het te willen duwt hij Loulou zachtjes van zich af.
'Dag, broeder, heb je een gezellige avond met je vriendinnetje?' vraagt Sheldon hem zogenaamd belangstellend.
'Wat wil je van me? Laat me met rust,' antwoordt Raisel zo normaal mogelijk en hij draait zich snel weer om. Loulou kijkt hem verbaasd aan. Hij pakt haar hand en loopt zonder om te kijken naar de bar. Hij voelt dat Sheldon hem volgt. Shit, wat wil die gozer nog van hem?
Demonstratief loopt Raisel door en gehaast vraagt hij aan Loulou wat ze wil drinken.
'Doe mij maar een cola, maar wie is die jongen?'
Voordat hij haar kan antwoorden, hoort hij zijn landgenoot zeggen: 'Aangenaam, ik ben Sheldon, een vriend van Raisel. Ik heb hem aan een baantje geholpen.'
Loulou geeft Sheldon een hand en noemt haar naam.
'Raisel boft met zo'n *señorita bunita*,' zegt Sheldon.
Loulou kijkt vragend om zich heen.
'Mooi meisje,' vertaalt Sheldon en knipoogt naar haar.
'Dank je,' antwoordt Loulou verlegen.
'Ik zou maar zuinig op haar zijn, Raisel. Voor je het weet gaat een ander er met haar vandoor,' zegt Sheldon en hij lacht.

Raisel zou die gozer het liefst een enorme dreun willen verkopen, maar als hij dat doet, krijgt hij geheid een dreun terug, en die zal harder zijn dan de zijne. Nerveus probeert Raisel iets te bedenken om Sheldon van zich af te schudden, maar het is een grote chaos in zijn hoofd.
'Ik heb nog een adres van een andere werkgever voor je, maar dat zit in mijn jaszak. Misschien wil je even met me meelopen?' Sheldon wacht niet op een antwoord en loopt weg zonder om te kijken of Raisel hem wel volgt.
'Ik ben zo terug, liefje. Wacht je hier op mij?' vraagt Raisel bijna smekend aan Loulou.
Ze kijkt hem recht in zijn ogen en antwoordt: 'Ik heb een hekel aan wachten, maar voor jou maak ik een uitzondering.'
Raisel heeft geen keuze en laat haar alleen achter.
Nog voordat hij het toilet heeft bereikt, komen Sheldon en twee enorme kleerkasten naar hem toe. Ze gaan in een rijtje wijdbeens voor hem staan. 'Mijn grote vriend, erg mooi meisje heb je. Hoe vindt ze het dat je seks met oudere mannen hebt? Oh, ze mag het niet weten? Dat is wel jammer, want ik wil het haar graag vertellen.'
'Wat wil je van me?' vraagt Raisel nerveus.
'Geld. Je denkt toch niet dat ik jou aan de best betalende man koppel voor die zielige paar euro's? Wat heb je bij je?'
Raisel denkt aan de ruim honderd euro in zijn portemonnee, de rest heeft hij gelukkig op zijn kamer achtergelaten, maar ze blijven er met hun poten van af. 'Ik heb nauwelijks geld bij me,' antwoordt hij.
'Goed, laat me dan maar even je portemonnee zien. Je hoeft het niet te doen, hoor, maar dan was dit de laatste avond met je meisje,' zegt Sheldon met een vuile glimlach op zijn gezicht.

Wat kan Raisel beginnen tegen drie van die spierbundels? Een opgefokt gevoel giert door zijn lijf. Zomaar zijn geld afgeven? Loulou kwijtraken? Weglopen? In paniek haalt hij zijn portemonnee tevoorschijn en geeft hem aan Sheldon.
Even later wappert er een briefje van honderd euro voor zijn gezicht. 'Dit is natuurlijk niet genoeg, maar omdat je mijn broeder bent, laat ik je vanavond verder met rust. Gelukkig weet ik het adres van je nieuwe kamer. Tot ziens, broeder. *I'm watching you.*'
De twee kleerkasten volgen hun leider naar de uitgang.

Met knikkende knieën, zijn lijf vol woede en niet meer dan tien euro in zijn portemonnee, loopt Raisel door de mensenmassa terug naar de bar. Loulou pakt zijn handen beet en kust hem. 'Wat was dat voor een griezel? Het is toch niet echt een vriend van je?' vraagt ze.
'Nee, gelukkig niet. Hij wist nog een ander baantje voor me, maar ik heb hem verteld dat ik geen belangstelling heb.'
'Ik snap er niets van. Hij heeft je toch al aan een baantje geholpen? Waarom komt hij dan nu weer met iets anders? Wat voor soort werk doe je op dit moment eigenlijk?' vuurt ze op hem af.
'In een restaurant,' antwoordt Raisel. Hij moet dit gespreksonderwerp gauw zien te veranderen.
Hij kust haar lippen en Loulou lacht. 'Ja, ja, is dit jouw manier van antwoorden?' fluistert ze.
'Kom, laten we gaan dansen, *mi dushi**,' fluistert hij terug. Hij pakt haar hand beet en trekt haar de dansvloer op.

---

* Mijn schatje.

Loulou lacht en legt haar armen om zijn nek.
Als die Sheldon haar ook maar met één vinger...
Loulou danst zo soepel, zo uitdagend dat ze de aandacht van veel mensen weet te trekken. Raisel probeert Sheldon uit zijn hoofd te bannen, maar voelt zich niet meer op zijn gemak. Wat als die klootzak echt het adres van zijn kamer weet? Hebben ze hem toch gevolgd? De man had hem verzekerd dat Sheldon hem niet langer zou lastigvallen. Fijne belofte! Straks kan hij niet eens de drankjes afrekenen. Dan kan hij wel door de grond zakken van schaamte.
'Wil je even een break?' vraagt Loulou.
Hij knikt en loopt achter haar aan terwijl hij links en rechts zenuwachtig om zich heen kijkt.
'Ik trakteer, mijn vader was in een gulle bui. Waarschijnlijk omdat hij me de afgelopen week behoorlijk verwaarloosd heeft.'
'Ach, wat rot voor je. Dan moet ik je maar heel veel aandacht geven.' Hij kust haar, dit keer langer. Alles klopt tussen hen. Het kan geen toeval zijn dat ze een week geleden tegelijkertijd op het muurtje zaten. Ze houden allebei van muziek, ze willen beiden beroemd worden, ze kussen allebei geweldig.
'Vertel eens iets over jezelf,' vraagt ze terwijl ze contact zoekt met de barman om de drankjes te bestellen.
'Wat wil je weten?'
'Alles over je familie, je vrienden, je vriendinnetjes, je lievelingseten, je zwakke kanten, gewoon alles.'
'Ik heb een lieve moeder, een zusje en drie broertjes. Verder heb ik ontelbaar veel vriendinnetjes gehad, maar die kunnen echt niet tippen aan jou. Serieus, jij bent veel leuker en liever en mooier.'

'Ja, dat zal best. En je vader?'
'Oh ja, die heb ik ook nog, maar het is niet de moeite waard om het over hem te hebben. En jij?'
'Nou, ik heb een lieve moeder én vader. Helaas heb ik geen broertjes of zusjes, dus hebben mijn ouders alle tijd om mij in de gaten te houden. Mijn vader is behoorlijk ouderwets en zoals hij zelf altijd zegt: vreselijk zuinig op zijn dochter. Soms haat ik zijn bezorgdheid. Ik heb behoorlijk moeten slijmen om vanavond uit te mogen gaan. En wat betreft vriendjes... Jij bent mijn vriendje, toch?'
'Als je vader het goedvindt. Misschien moet ik die ouweheer een keer ontmoeten. Dan kan hij met eigen ogen zien dat ik de ideale schoonzoon ben,' grapt Raisel.
'Dat kan nog wel even wachten. Hij kan knap lastig doen. Als ik vanavond niet klokslag één uur buiten sta, kan ik het wel vergeten om volgende week uit te gaan. Weet je, ik bedenk nu dat hij morgen met mijn moeder naar een of ander officieel gedoe gaat, dus...'
'Wat bedoel je?'
'Dat we dan elkaar weer kunnen zien. Vind je het leuk om bij mij thuis te komen?'
'Natuurlijk, is dat wel safe?'
'Durf je soms niet?'
'Kom maar op met het adres.'
Ze pakt een pen uit haar tas en schrijft ijverig op de achterkant van een bierviltje.
Paradijslaan 15. Den Bosch. Vijf uur. Ik ga voor je koken. xxx Loulou.

13

Nog nooit heeft hij zich zo uitgesloofd voor een meisje.
Maar goed dat hij gisteren een deel van zijn geld thuis had gelaten. Daarvan had hij zich vanmorgen flink getrakteerd. Een nieuw shirt, nieuwe schoenen en een armband voor Loulou had hij gekocht.
Het resultaat is een lege portemonnee, maar wel heel veel vertrouwen in een spannende, gave avond.
Hij had uitgebreid gedoucht, tweehonderd keer in de spiegel gekeken, een halfuur op het toilet doorgebracht en overdreven vaak op een stratenkaart van Den Bosch gekeken om er zeker van te zijn dat hij zich op tijd op het juiste adres kan melden. Gelukkig rijdt er vanaf het station een bus rechtstreeks naar de Paradijslaan.

Als hij voor het huis van Loulou staat, kan hij zijn ogen niet geloven. Wat een villa! Die ouders moeten schatrijk zijn. Twee oprijlanen en een tuin die eerder aan een park doet denken. Langzaam betreedt hij het pad. Als hij bij de voordeur is, leest hij op het gouden naamplaatje:

Johannes Kaemerling advocaat
Marie-Louise Kaemerling
Loulou Kaemerling

Heel kort drukt hij op de bel en hij luistert gespannen of hij iets hoort. Lang hoeft hij niet te wachten.
'Hallo, wat leuk dat je er bent. Kon je het gemakkelijk vinden?'
Loulou ziet er waanzinnig mooi uit. Ze draagt een strak zwart jurkje en haar lange blonde krullen dansen op haar schouders. Hij twijfelt of hij haar zal kussen, maar Loulou beweegt haar hoofd al naar hem toe. 'Wat ruik je lekker. Kom binnen, ik hoop dat je pizza lust.'
'Ja hoor, lekker,' antwoordt Raisel en hij probeert zijn zenuwen onder controle te krijgen.
In de hal ligt een marmeren vloer en aan het plafond hangt een kroonluchter met honderden lampjes. De woonkamer heeft veel weg van een museum. Overal staan beelden en aan de muren hangen kolossale kunstwerken. In het midden staat een grote bruine tafel, met daarop heel veel brandende kaarsen.
'Wacht, ik zal je jas ophangen. Ga maar zitten, hoor.'
Raisel haalt snel het doosje uit zijn zak. 'Ik heb iets voor je gekocht, alsjeblieft.'
Loulou kijkt hem vragend aan.
'Pak maar uit.'
Voorzichtig haalt ze het papier van het doosje en als ze het deksel openmaakt, valt haar mond open. 'Wauw, wat mooi, Raisel. Maar dat is toch veel te duur?'
'Pas nu maar.'
Ze schuift het armbandje met de felgekleurde blauwe en paarse steentjes om haar pols en kust daarna zacht zijn lippen. 'Echt heel erg mooi en nog wel mijn lievelingskleuren. Dank je wel. Maar nu moet ik snel de oven uitzetten, anders hebben we zwarte pizza.'

'Zwarte pizza voor je zwarte vriendje,' zegt Raisel lachend.
Loulou loopt de kamer uit en hij hoort haar in de keuken met borden schuiven. Zijn jas is ze waarschijnlijk alweer vergeten. Hij loopt terug naar de gang, waar hij zojuist een kapstok heeft gezien. Aan de goudkleurige haken hangen een paar damesjassen en een lange zwarte herenjas. Hij hangt zijn jack op een vrij haakje en loopt terug naar de woonkamer.
Loulou komt puffend de kamer binnen. Met beide handen houdt ze een dienblad vast, waarop twee grote borden, twee glazen en een fles wijn staan. Ze heeft blosjes op haar wangen en blaast het haar uit haar gezicht. 'Voilà, pizza margaritha en een rood wijntje. Ik heb maar een fles uit de wijnkelder van mijn vader gepakt.'
Ze zet de borden op de tafel en schenkt de glazen vol.
Hij pakt met beide handen haar hoofd voorzichtig beet en kust haar heel even. 'Wat ben je toch lief voor me. Waar heb ik het aan verdiend dat een heel mooi meisje speciaal voor mij kookt?'
'Omdat ik anders alleen moest eten... Grapje, ik vind het heel leuk dat je er bent, en een pizza in de oven schuiven is niet zo moeilijk, hoor.'
Als ze tegenover elkaar zitten, volgt hij haar bewegingen. Alles is zo sierlijk aan haar. Uit beleefdheid neemt hij een hap van de pizza, maar hij krijgt het met moeite doorgeslikt.
Loulou pakt de fles wijn en zegt: 'Denk je dat de wijn nog wel goed is? Ik lees nu dat hij uit 1993 komt. Merlot. Zegt jou dat wat?'
'Nee, maar ik vind hem best lekker.' Hij neemt nog een slok om haar te laten zien dat hij het meent.
'Wat heb je deze week allemaal gedaan?' vraagt ze plotseling.

'Oh, ik heb me een beetje ingeburgerd. Het is me gelukt een kamer in het centrum te vinden.'
'En hoe bevalt je school?'
'Goed.' Meteen heeft hij spijt van zijn antwoord. 'En jij, wat heb jij gedaan?' vraagt hij snel.
'Aan jou gedacht, en school en nog eens school. Als ik mijn diploma haal, kan ik auditie doen voor de dansacademie. Dat wil ik echt heel graag, dus zit er niet veel anders op dan nog een jaartje mijn best te doen. Verder heb ik heerlijk geshopt met mijn moeder. Vind je mijn nieuwe jurk mooi?'
'Prachtig.'
Dan gaat haar mobiel.
'Met Loulou.'
...
'Hallo, pa. Ja, hoor, Chrissie en ik hebben zojuist onze pizza naar binnen gewerkt.'
...
'Een film kijken en natuurlijk op tijd naar bed. Ik moet morgenvroeg dansen, weet je nog.'
...
'Oké, jullie ook en doe mama de groeten. Dag.'

Als Raisel haar vragend aankijkt, zegt ze: 'Mijn ouders houden mij altijd en overal in de gaten, maar een leugentje om bestwil mag toch wel?'
'Natuurlijk mag dat, mi dushi,' antwoordt hij lachend. 'Vooral als het om mij is.'

14

Loulou, wat is ze leuk! Het voelt alsof ze elkaar al maanden kennen. Nadat ze hun pizza voor ongeveer een kwart hadden opgegeten, maar de fles wijn wel helemaal hadden leeggedronken, hadden ze zich naast elkaar op de bank genesteld, MTV gekeken en vooral heel veel gezoend. Toen ze hem had gestreeld, moest hij ongewild een paar keer aan Parijs denken, maar haar mooie hese stem had hem opgezogen en de afgelopen dagen even doen vergeten.
Rond halftwaalf was hij naar huis gegaan. Met haar telefoonnummer op zak en de belofte dat ze elkaar heel snel zullen zien, overleeft hij de komende dagen misschien.

De bus stopt enkele meters van zijn kamer. Als hij de huissleutel uit zijn zak haalt, bekruipt hem plotseling het onaangename gevoel dat iemand hem in de gaten houdt. De sleutel gaat moeizaam in het slot. Hij buigt zich voorover om het beter te kunnen zien. Achter hem wordt het portier van een auto dichtgegooid, en het geluid van naderende voetstappen maakt hem gek van spanning. Heel snel richt hij zich op en hij beweegt de sleutel hardhandig heen en weer. Er spuugt iemand naast hem op de grond en een hand belandt op zijn rechterschouder.
'Goedenavond, vriend, wij komen namens Sheldon. Hij was zelf helaas verhinderd, maar heeft ons vriendelijk verzocht

even bij je langs te gaan.' Weer spuugt er iemand, dit keer op zijn schoenen.
Het zijn de twee kleerkasten uit de disco.
'Wat moeten jullie van mij?' vraagt Raisel met dichtgeknepen keel.
'Sheldon heeft zijn twijfels of jij je aan de gemaakte afspraak houdt.'
'Ik heb niets meer met die man, dus als jullie daarvoor komen, ben je aan het verkeerde adres. Laat me met rust.'
Inmiddels heeft Raisel de deur kunnen openen, maar voordat hij een voet over de drempel kan zetten, voelt hij een hard voorwerp in zijn rug gedrukt.
'Ik zou maar voorzichtig zijn als ik jou was en vooral de boel niet belazeren. We hebben je deze week minstens één keer in het park gezien en weten dat je enkele dagen met meneer bent weggeweest.'
'Ik heb geen geld.'
'Oké, dan zit er niets anders op dan dat je het in natura betaalt, of je moet een ander goed voorstel hebben.'
Raisel moet iets doen. Zijn benen trillen en hij is bang, ontzettend bang, en in paniek rukt hij zijn horloge van zijn pols. 'Hier, laat me verder met rust. Ik ben gekapt met jullie wereldje.'
Een van de gasten neemt het horloge aan en fluit even. 'Dure cadeautjes krijg jij, dan moet je wel heel goed zijn, Mister Lover. Misschien is het toch een beter idee dat je ons in natura betaalt.'
Raisel voelt het voorwerp niet meer in zijn rug boren en even later zakt de hand van zijn schouder.
'Goed, je hebt geluk dat er vanavond nog een paar geile meiden op ons wachten, maar we houden je in de gaten. Overal en altijd, en zorg dat je het geld volgende keer gewoon klaar hebt liggen.'

Tot zijn grote opluchting hoort Raisel de twee kleerkasten naar de auto lopen en even later wordt een motor gestart en ziet hij de auto langzaam de straat uit rijden.
Raisel staat nog zeker vijf minuten stijf van de zenuwen in de deuropening en hapt paniekerig naar adem. Het is heel duidelijk: hij moet kappen met dit vuile, linke wereldje.

Als hij op zijn kamer is, laat hij zich op zijn bed vallen. Hij voelt zich alleen en ellendig. Niemand in dit kloteland kan hem helpen.
Hij schrikt van zijn telefoon. Loulou?
'Met mij.'
'Met Rogier, kun je over een halfuur in het park zijn?'
'Nee, ik kap ermee.'
Het blijft een paar seconden stil en net als hij wil ophangen, praat de man verder. 'Waarom?'
'Omdat die klootzakken mij bedreigd hebben.'
'Sheldon?'
'Twee van zijn vrienden. Ik kap ermee.'
'Raisel, het spijt me. Ik praat met ze en je hebt mijn woord dat het niet meer gebeurt. Ze weten dat ik veel te zeggen heb in hun wereld.'
'Ik koop niets voor die beloftes. Weet u hoe het voelt om een pistool in je rug te voelen?'
'Nee, maar geen paniek, ik los dit op. Ben je nu op je kamer?'
'Ja.'
'Goed, blijf daar. Geloof me, ik heb de middelen en de juiste mensen om je te beschermen. We maken goede afspraken. Ze bluffen alleen maar, ik ken ze langer dan vandaag.'

15

Hij had de halve nacht wakker gelegen en gepiekerd. Het besef dat hij alles heeft verkloot dringt nu pas goed tot hem door. Een diploma halen kan hij wel vergeten en snel een baantje vinden kan hij ook op zijn buik schrijven. En stel dat zijn moeder de waarheid hoort? Het zal haar zo veel verdriet doen. Maar de pijnlijkste gedachte is wel dat Loulou hem zal laten vallen als ze weet waar hij mee bezig is. En wat te denken van Sheldon en zijn vrienden? Die zullen hem altijd en overal blijven volgen. Er is maar één persoon die hem kan bieden wat hij nodig heeft: geld, bescherming en de kans iets te bereiken in de wereld van de muziek. Maar om nu zelf contact met Rogier op te nemen... Nee, echt niet.

De eenzaamheid maakt hem gek. De hele dag had hij zichzelf opgesloten in zijn kamer Het lukt hem niet meer het depressieve gevoel van zich af te schudden. Over een paar dagen moet hij de huur betalen en hij heeft niet eens geld om fatsoenlijk eten te kopen. Terwijl hij de laatste slok rum door zijn keel laat glijden, staat hij op. In een roes pakt hij zijn jas, hij besprenkelt zijn lijf met Dolce & Gabbana en verlaat zijn kamer. Gewoon de ene voet voor de andere zetten. Hij moet aan geld zien te komen.
Het is buiten niet koud, maar zijn lijf rilt.

Aan de rand van het park staan drie auto's geparkeerd. De auto van Rogier is er niet bij. Hij telt zijn stappen en als hij een keer opkijkt, schat hij in dat de afstand tussen hem en de auto's niet meer dan tien meter is. Zo meteen zal er een deur opengaan en zal hem gevraagd worden in te stappen. Nog vijf meter.

Hij passeert de eerste auto. Geen reactie.

De tweede auto rijdt langzaam in zijn richting en stopt op een meter afstand.

Het raam gaat open.

Hij blijft stilstaan.

'Tweehonderd euro... zonder,' is de zakelijke mededeling.

Het woord 'zonder' galmt na in zijn hoofd en hij loopt door. *No way!*

Vanuit de derde auto komt geen reactie.

Hij telt zeventig passen tot aan het bankje en als hij zijn beverige lijf op het hout laat zakken, ziet hij een man in zijn richting slenteren.

'Weet jij hoe laat het is?' wordt hem even later gevraagd.

Weer die vraag.

Uit zijn ooghoeken ziet hij dat de man een horloge draagt die de juiste tijd aangeeft.

Raisels hoofd voelt zwaar en duizelig als hij opkijkt.

De blik van die vent! Die wil allesbehalve weten hoe laat het is.

'Vijftig euro. Tien minuten,' zegt de man nerveus en loopt in de richting van de bosjes.

Alles draait. De druk op Raisels borst neemt toe. Voorzichtig staat hij op en met wankele benen bereikt hij het pad. Hij moet hier weg. Weg, weg, weg.

De auto's staan er nog. Met een grote boog loopt hij erom-

heen. Het lijkt een eeuwigheid voordat hij zijn kamer heeft bereikt.
Op de deurmat ligt een envelop. Hij pakt hem op en leest zijn naam.
In zijn kamer scheurt hij de bovenkant van de brief en vouwt het beschreven vel open.

Morgenmiddag drie uur heb je een afspraak met de manager van dj Tiësto. Hij is slechts één middag in Amsterdam en wil een halfuur voor je vrijmaken. Neem je muziek mee.
Ik kom je om één uur ophalen op het station in Eindhoven.
Rogier
PS *Zorg dat je er ongezien komt. Zet je telefoon aan. Ik kon je niet bereiken.*

Shit, de batterij is leeg. Maar die brief! Raisels blijdschap is van korte duur. Ineens slaat de twijfel toe. Is de brief wel echt van Rogier? Straks luizen ze hem erin. Nee, alleen Rogier weet van zijn muziekaspiraties. Hoe lang duurt het voordat die shittelefoon het weer doet? Hij gooit zijn koffer open en zoekt als een razende naar zijn oplader. Als hij hem heeft gevonden, zakt de spanning enigszins en laat hij het blije gevoel toe. Yes, dit is de gelegenheid om zijn mixen aan een kenner te laten horen. Hoe krijgt die Rogier dit allemaal voor elkaar? Wel fantastisch. Het duizelige gevoel verdwijnt als hij een van zijn mixen megahard draait. Zijn hoofd wordt weer helder. De gedachte dat mensen straks op zijn muziek dansen, geeft hem een enorme kick.

Als hij bijna in slaap valt, gaat zijn mobiel.
'Hallo, met Raisel.'

'Hé, liefje, met mij. Ik hoop dat ik je niet wakker bel, maar ik kon niet in slaap komen, omdat ik de hele tijd aan je moest denken. Zullen we morgen na school samen iets gaan drinken?'

Haar stem maakt hem zo blij.

'Eh, ja, ik zou het graag doen, maar ik ben pas laat uit.'

'Hoe laat dan?'

'Oh, dat weet ik niet precies, omdat ik extra lessen heb.'

'Dan spijbel je toch een keer?'

Wat kan hij zeggen? Natuurlijk wil hij haar morgen graag zien.

'Zullen we anders morgenavond afspreken?' stelt hij voor.

'Ik wil wel, maar morgenavond moet ik dansen. Weet je wat? Ik zeg mijn training gewoon een keer af en dan kom ik wel naar Eindhoven. Dan loop ik ook minder risico dat iemand mij betrapt.'

'Waar wil je afspreken? Op het station?'

'Ik vind het goed, maar dan moet je wel echt op tijd zijn. Het station is 's avonds altijd een beetje eng.'

'Ja, natuurlijk. Zeven uur? We kunnen elkaar nog even bellen. Oké?'

'Ja, spannend. Tot morgen. Ik ga van je dromen.'

'Tot morgen, mooi meisje van me. Slaap lekker.'

16

Ongezien op het station komen. Juist vandaag wil hij gezien worden. Niet alleen door Loulou, Rogier of de beroemde manager, maar door de hele wereld. Vandaag is de grote dag. Morgen zal hij zijn moeder kunnen bellen en haar vertellen dat het heel goed met hem gaat en dat hij haar over een tijdje flink wat geld kan toesturen. Het is zijn dag. Hij voelt dat het vandaag gaat gebeuren.
Gelukkig heeft hij nog de hele morgen de tijd om zich over een paar uur op en top te kunnen presenteren.

Als hij via een flinke omweg aan de achterzijde van het station arriveert, voelt hij zich toch niet helemaal op zijn gemak. Hij probeert zo onopvallend mogelijk alles in de gaten te houden. Gelukkig is het nog behoorlijk druk en kan hij met de stroom mensen meelopen naar de voorkant, waar hij met de man heeft afgesproken.
Het is drie minuten voor één als hij op de stationsklok kijkt. Tot zijn grote opluchting ziet hij de auto van de man langzaam naderen.
Gehaast loopt hij naar het inmiddels vertrouwde voertuig en stapt in.
Even voelt hij de hand van de man in zijn nek, maar er wordt geen woord gezegd.

Pas als ze op de snelweg zitten, kijkt Rogier hem aan. 'Heb je geen last meer gehad van Sheldon en zijn vrienden?'
Raisel schudt zijn hoofd.
'Goed, dan heeft mijn waarschuwing en een extra zakcentje het juiste effect gehad. Het zal niet meer gebeuren. Concentreer je nu maar op vandaag. Ik zet je op het juiste adres af en haal je om vijf uur weer op.'
'Oké. Ik vind het heel speciaal dat u dit voor mij doet.'
'Ik heb je eerder al verteld dat je schoonheid je ver kan brengen.'
'Dat zal best, maar vandaag wil ik ze laten zien dat ik echt wat kan.'
Terwijl de auto met een snelheid van honderdveertig kilometer over het wegdek glijdt, merkt Raisel dat hij dit keer minder afkeer voelt dan voorheen.
'Heb je je muziek op een cd staan?'
'Onder andere.'
'Laat maar eens horen waar jij nog meer goed in bent.'
Als zijn favoriete mix elke millimeter binnen de auto in beslag neemt, sluit Raisel zijn ogen en droomt hij van een zaal vol swingende mensen.

Het gesprek met de manager was goed gegaan. Echt goed! Na het beluisteren van vijf van Raisels favoriete mixen had de manager hem op zijn schouder geklopt en hem een compliment gegeven. 'We zijn op zoek naar mensen met een heel eigen persoonlijke stijl en sound. Die heb je zeker. Het is supergoed,' had de manager er nog aan toegevoegd. Het resultaat is een topgevoel en de belofte van de man dat hij op korte termijn iets van zich laat horen. E fiësta por cominsá. *Let's go party!*

Wat zal Loulou zeggen als ze het hoort! Het is tijd om zichzelf te trakteren op een lekkere maaltijd.
Exact om vijf uur parkeert Rogier zijn auto voor de studio. Als Raisel instapt, kijkt Rogier hem vragend aan.
'Het ging megagoed en ze nemen contact met me op.'
Rogier glimlacht en knikt goedkeurend.
'Dat moeten we vieren. Je bent me nog wel wat schuldig, toch?'
Raisel wil niet dat zijn blije gevoel door de man wordt beïnvloed, maar kan het ook niet maken om hem af te wijzen.
'Ik wil u graag bedanken, maar ik heb om zeven uur een afspraak met iemand.'
'Zo, met een meisje?'
'We hadden toch de afspraak niet over privézaken te praten?'
Het blijft even stil, maar dan zegt de man op zakelijke toon:
'Goed, dan zien we elkaar vanavond om elf uur in het park. Het is veilig, daar sta ik persoonlijk voor in.'
Het liefst zou Raisel nu zeggen dat hij niet wil, dat hij nooit meer wil, maar hij durft niet. Hij kan nu niet afhaken. Eerst moet hij zijn zaakjes goed voor elkaar hebben, pas dan kan hij zelf bepalen wat hij wel en niet gaat doen.
'Ik zal er zijn,' zegt hij zo neutraal mogelijk.
Na een halfuur stopt de man plotseling bij een wegrestaurant. Shit, nee, dit kan niet. En Loulou dan?
'Vanavond, hebben we toch zojuist afgesproken?' vraagt Raisel paniekerig, bijna smekend zelfs.
'Ik wil even sigaretten kopen en we kunnen toch wel één glaasje drinken?'
'Ik blijf liever in de auto zitten.'
Het is inmiddels zes uur en nog minstens drie kwartier rijden. Hij heeft Loulou nog zo beloofd op tijd te zijn.

'Maak je niet zo druk, ik zet je wel af bij je meisje, hoor.'
'Het is echt belangrijk voor me.'
'Goed, maar ik ga toch even naar het toilet. Ik ben zo terug.'
Als de man weg is, toetst Raisel het mobiele nummer van Loulou in.
Met de voicemail van Loulou. Spreek een boodschap...
Shit.
Stel dat hij te laat is?

Rogier stapt weer in. Gelukkig geeft hij flink gas en klokslag zeven uur rijden ze Eindhoven binnen.
'Zou u mij in plaats van thuis bij het station willen afzetten, alstublieft?'
'Zoals je wenst.'
Als Loulou hem nu maar niet uit de auto ziet stappen! Hij kan zeggen dat het zijn baas is.
'Ik koop even sigaretten in de kiosk,' zegt Rogier als ze de parkeerplaats van het station op rijden.
Mijn god, nee.
Zodra de auto stopt, mompelt Raisel iets wat op 'vanavond' lijkt en stapt zo snel mogelijk uit.
Pas als hij minstens vijftig meter van de auto verwijderd is, kijkt hij om zich heen. Loulou ziet hij nergens. Gelukkig, dan kan hij nog even snel naar de wc.
Het lucht op om nog enkele minuten alleen te zijn. Hij wast zijn handen, maakt zijn gezicht nat en stopt een kauwgompje in zijn mond.
Iets rustiger dan daarnet loopt hij terug naar de ingang. Overal zijn mensen, maar zijn ogen zijn op zoek naar dat ene meisje. Aan de rechterzijde probeert een aantal mensen hun fiets te-

rug te vinden, tegenover hem staat een rij taxi's en rechts van hem... Wat er zich voor zijn ogen afspeelt, kan onmogelijk waar zijn! Hij vergist zich. Hij is gek geworden. Nee, dit kan echt niet waar zijn!
Op slechts een halve straatlengte van hem vandaan tilt Rogier een rugtas in de achterbak van zijn auto. Hij gooit de klep dicht, zwaait met beide armen in de lucht en praat tegen een meisje dat met gebogen hoofd in de auto stapt. Het kan niet waar zijn, maar het ís waar: het is Loulou.
Totaal ontredderd staart hij minutenlang naar de auto, die steeds kleiner wordt en ten slotte in een tunnel verdwijnt. Wat... Hoe kan Loulou... Waar kennen zij elkaar van? Wilde ze wel mee? Hij moet haar bellen. Het was iemand anders die in de auto stapte. Het moet iemand anders zijn geweest.
Tien over zeven. Hij moet gewoon geduld hebben. Ze komt. Niks aan de hand, gewoon vertraging door een bloedneus, door een obstakel op de weg. Ze komt, natuurlijk wel. Door de stress ziet hij dingen die niet waar zijn.
Zijn hersenen registeren duizenden mogelijkheden.
Na vijf minuten staat hij nog exact op dezelfde plaats. Hij haalt zijn mobiel tevoorschijn. Ze heeft hem natuurlijk een sms'je gestuurd.
Niets.
Tien voor halfacht. Geduld hebben. Ze heeft de trein gemist of is haar tas verloren waar haar mobiel in zit. Zo meteen komt ze lachend de hoek om.
Vijf voor halfacht. Geen bericht en geen enkel teken van leven van Loulou.
Hij kijkt nog één keer rond. Zijn ademhaling is gejaagd. Drinken, hij moet nu iets sterks drinken. Het dichtstbijzijnde café

is honderd meter verderop. Hij loopt met grote passen, vloekt, slaat met zijn vuist tegen een lantaarnpaal, schopt tegen een prullenbak.
De man achter de bar kijkt hem bevreemd aan.
'Een dubbele rum,' commandeert Raisel.
Gelukkig vraagt de barman niets en even later zet hij het volle glas op de bar.
In één teug giet Raisel de rum in zijn trillende lijf, legt het geld op de bar en loopt naar buiten. Frisse lucht. Het is niet waar. Hoeveel mensen wonen er in Nederland? Toeval bestaat, maar dat juist deze twee mensen... Nee, dit is absoluut niet mogelijk.
Hij moet haar spreken. Haar nummer weet hij inmiddels uit zijn hoofd.
Ze neemt niet op.

17

Ik word gek, denkt hij. Ik zie gewoon dingen die er niet zijn. In zijn woede ramt Raisel twee spiegels van de pooierbak die aan het begin van zijn straat staat geparkeerd. De eigenaar heeft geluk. Als hij een mes zou hebben gehad, waren de banden nu lek geweest. Als hij een mes zou hebben gehad, vloeide nu het bloed uit het walgelijke lichaam van meneer Rogier. Als hij een mes zou hebben gehad, waren alle mannen in het park op dit moment zijn prooi.
Raisel laat de voordeur met een knal achter zich dichtvallen. Zijn huisgenoten zijn er waarschijnlijk wakker van geworden, maar het zou heel verstandig van hen zijn om nu hun kop te houden.
Opgefokt loopt hij heen en weer in zijn kamer, totdat het sms-deuntje zijn gestamp onderbreekt.

Liefje, het spijt me.
Mijn vader was op het station. Betrapt.
Dus moest ik van hem naar huis.
Balen, maar ik hou echt van je.
Loulou

Raisel knijpt de telefoon zowat fijn.
Dus toch: toeval bestaat.

Hij denkt ineens aan de initialen op de zakdoek: JK. Johannes Kaemerling. Het is niet te geloven. Dat uitgerekend Rogier de vader van Loulou moet zijn! De man moet boeten. Wat als Loulou te horen krijgt dat haar vader seks heeft met jongens? Haar wereld zal instorten. Nee, Loulou mag niets weten. Nooit. Als ze weet dat haar vriendje het met haar vader heeft gedaan, walgt ze ook van hem. Nee, als er iemand fout is, is het die Rogier. Wat een klootzak.
Weer het sms-toontje. Stik allemaal.
Maar als het Loulou weer is? Met een verkrampte vinger drukt hij op het envelopje.

```
Ben je boos?
Laat me iets weten!
Kus, Loulou
```

Boos? Hoe komt ze erbij?
Meteen gaat de beltoon. Ze houdt wel vol.
'Hallo, met je tante.'
Dat kan er ook nog wel bij. Hij wil de verbinding verbreken, maar haar dwingende stem weerhoudt hem daarvan.
'Je moeder heeft me de opdracht gegeven je te bellen. Ze kan je niet bereiken. Je moet haar terugbellen.'
'Is er iets aan de hand?'
'Wat denk je zelf?'
Hij moet even op adem komen.
'Goed, ik ga haar bellen.'
'Dat zou ik zeker doen. Je hebt een groot probleem.'
Hij drukt op de uit-knop. Zijn moeder... Wat is er aan de hand?

Nadat hij voor de derde keer haar nummer heeft ingetoetst, neemt zijn broertje op.

'Hallo, met Jonathan.'
'Met Raisel. Je moet harder praten, ik kan je moeilijk verstaan.'
Hij hoort zijn broertje roepen: 'Mamá. Raisel aan de telefoon, mamá.' En tegen Raisel zegt hij: 'Ze komt eraan. Kom je naar huis?'
Raisel hoort het geluid van haar schoenen op de houten vloer.
'Hallo, mi yiu, met mama.'
Ze klinkt verdrietig.
'Hoe is het met u?'
'Goed, jongen, maar wat gebeurt er allemaal? Tante Noëlla heeft me verteld dat je niet naar school gaat. Wat ben je van plan? Wil je eindigen als Angel? Ze hebben me gezegd dat ze de politie gaan inschakelen als je je niet meldt op school. Hoe kun je zo dom zijn? En waar slaap je? Je stelt me zo teleur. Wat moet ik de mensen hier vertellen? Ik schaam me voor je. Waarom doe je zo? Heb je problemen?'
'Nee, mama, het gaat goed. Maakt u zich geen zorgen.'
'Waarom ga je niet naar school? We hebben zo veel geld voor je betaald.'
'De eerste weken zijn introductieweken. Het is niet nodig daar naartoe te gaan. Ik ga echt wel naar die school, maar u moet beloven dat er geen politie ingeschakeld wordt. Dat is belachelijk.'
'Waar leef je van?'
'Ik heb een baantje in een restaurant en woon in een mooi huis.'

'Beloof me dat je weer naar school gaat.'
'Ja, maar dan moet u beloven dat u met tante Noëlla praat. Ik ben geen kind meer. Ik kan voor mezelf zorgen.'
'Goed, jongen, maar ga me niet weer teleurstellen. Gebruik je hersenen waar God ze je voor gegeven heeft.'
'Ik beloof het u. Gaat alles goed met jullie?'
'Ja, het gaat goed.'
'Dag, mama.'
'Tot ziens, mi yiu, pas goed op jezelf.'
Hij verbreekt de verbinding. Ze hoeft niet te horen dat hij huilt.

Om zijn hoofd een beetje rustig te krijgen, had hij uren achter elkaar naar zijn muziek geluisterd. In de keuken had hij nog een restje whisky gevonden en dat opgedronken. Zijn euforische stemming van vanmiddag is door die klootzak van een Rogier en zijn bemoeizuchtige tante Noëlla compleet de grond in geboord. Stel dat zijn tante echt de politie op hem afstuurt? Maar terug naar school?
Over een halfuur moet hij zich in het park melden.
In eerste instantie was hij vastbesloten geweest die man nooit meer te ontmoeten. De gedachte dat hij met de vader van Loulou... Walgelijk. Daarna had hij bedacht hoe hij de man zou kunnen ombrengen. Allerlei afschuwelijke scenario's waren door zijn hoofd gegaan. Toen zijn ergste woede was weggeebd, waren er stukje bij beetje andere gedachten bij hem opgekomen.
Hij moet het slim aanpakken. Die vent krijgt natuurlijk grote problemen als zijn seksleven openbaar wordt gemaakt, dus zal hij er alles voor overhebben het geheim te houden.

Raisel probeert zichzelf ervan te overtuigen dat zijn plan een goede keuze is. Het is de kunst om rustig te blijven, geen fouten te maken en op het juiste moment te wachten.

De auto van de Rogier staat op dezelfde vaste plaats. Een jonge blanke gast loopt opgefokt heen en weer tussen de zwarte Saab en een zwarte Mercedes. Die gozer heeft waarschijnlijk direct geld nodig. Er komt echter geen enkele reactie vanuit de auto's.
Nog voordat hijzelf bij de Saab arriveert, gaat het raampje open en kijkt Rogier hem vriendelijk aan. Wat zou Raisel nu graag die huichelaar uitschelden en de hele wereld laten weten waar deze zogenaamde lieve zorgzame vader mee bezig is. Wachten. Rustig blijven.
Als een robot met een gepantserd lijf gaat Raisel in de auto zitten.
'Ik heb je eerst wat te vertellen,' zegt de man.
Hij weet het! Loulou heeft alles opgebiecht.
'De manager heeft me een uur geleden gebeld. Hij is erg tevreden en wil je een kans geven. Je mag aanstaande zaterdag in Utrecht draaien. Er is een dj uitgevallen en jij mag zijn plaats innemen.'
Wat Rogier hem op dit moment ook te bieden heeft, het kan Raisels rotgevoel over de hele situatie niet wegnemen. Geforceerd lacht hij naar de man en hij knikt een keer.
'Dat moeten we samen maar eens goed vieren, vind je ook niet?'
Raisel moet dit walgelijke spelletje nu meespelen en knikt nogmaals.
'Ik heb een hotelkamer gereserveerd.'

De behoefte de man te confronteren met de harde feiten wordt met de seconde groter, maar hij mag de controle niet verliezen.
Zijn mobieltje trilt in zijn broekzak. Hij twijfelt of hij zal opnemen, maar zijn nieuwsgierigheid is te groot.
'Hallo.'
'Hoi, Raisel, met mij. Waarom antwoord je niet op mijn sms'jes?'
Loulou. Heel even blikt Raisel opzij om te zien of Rogier het gesprek kan volgen. Het lijkt er niet op. 'Ik had geen tijd.'
'Ja, dat zal wel. Je bent gewoon boos, dat snap ik best,' zegt ze met onvaste stem.
'Nee, het is goed. Ik begrijp het wel.'
'Weet je, mijn vader is zo'n klootzak. Als hij zo doorgaat, ben ik binnenkort weg.'
Weer kijkt Raisel even naar het gezicht van de man. 'Ja, hij verpest het wel.'
'Als hij je ontmoet, weet ik zeker dat hij je leuk vindt en niet zo moeilijk doet.'
'Dat betwijfel ik.'
'Ik wil je niet kwijt, Raisel. Wil je morgen met me afspreken? Mijn ouders zijn morgenavond niet thuis. Mijn moeder gaat een paar dagen naar mijn oma en van mijn vader zul je geen last hebben. Hij is een paar dagen voor zijn werk in Engeland.'
'Goed, hoe laat?'
'Is negen uur oké?'
'Prima, ik zal er zijn.'
'Yes, tot morgen, en een dikke kus.'
'Tot morgen.'

Rogier kijkt Raisel vragend aan. 'Je vriendinnetje?'
Wacht maar, *big spender*, je gaat zo ontzettend spijt krijgen van dit alles!

18

In een of andere onbekende plaats had hij met Rogier de nacht in een luxehotel doorgebracht. Een groot deel van de avond hadden ze zich opgehouden in de sauna. De aanwezigheid van de andere saunagasten had de situatie enigszins draaglijk gemaakt, maar Raisel had zichzelf zo vreselijk verafschuwd. Ook zíjn leven is een grote leugen geworden.
's Avonds hadden de vele glazen wodka-jus hem verdoofd, waardoor hij tot zijn eigen verbazing ook nog aan de wensen van de man had kunnen voldoen. Voor de allerlaatste keer, zeker weten, nooit meer.
De walging en de kater maken het begin van deze nieuwe dag tot een ware hel. De Dolce & Gabbana-geur die Rogier nogal royaal op zijn lijf heeft gespoten, verspreidt zich door de auto. Als Raisel straks op zijn kamer is, zal hij zijn flesje met het ziekmakende luchtje weggooien.
Toch kan hij zich enigszins oppeppen met de gedachte dat zijn poging om meer bewijsmateriaal te verzamelen geslaagd is. Een naaktfoto van de man zit veilig opgeborgen in zijn mobiel. Als ze na het ontbijt om acht uur keurig op tijd in de auto zitten, omdat meneer een belangrijke zaak heeft, stopt Rogier hem driehonderd euro toe. Ook verzekert hij hem nog een keer dat hij met de schoolleiding zal bellen en hij zet hem zoals afgesproken een halfuur later op het station af.

Raisel stapt zonder te groeten uit de auto en bergt het geld zorgvuldig op in zijn portemonnee.
Het is verkeerd wat hij doet, maar wat die man doet is veel erger. Hij besodemietert zijn vrouw en dochter. Waarschijnlijk kunnen ze de man de bak in gooien als ze weten dat hij seks heeft met minderjarigen. Toch is er ook heel even een moment van twijfel. Er is geen sprake van dwang geweest. De man heeft hem nooit respectloos behandeld en hem altijd het beloofde geld gegeven. Maar dat is nu helemaal niet meer van belang. Had hij zijn eigen dochter – Raisels grote liefde! – maar niet moeten belazeren.
Vanavond ziet hij Loulou weer. Het idee dat hij vanavond in Den Bosch plotseling oog in oog staat met de man, doet zijn lijf nog meer verkrampen. Hij moet Loulou voor de zekerheid vanmiddag nog maar een keer bellen en vragen of haar vader écht naar Engeland is.
De hele dag heeft hij nog de tijd om te slapen, te douchen, iets moois voor Loulou te kopen, maar vooral om goed na te denken over wat hij wel en niet moet doen.
Binnenkort is hij rijk.
Met het geld kan hij Loulou meenemen naar Amerika of waar ze maar heen wil. Zij hoeft helemaal niets te weten, zij mág helemaal niets weten. Zij is wel de laatste die gekwetst mag worden. Met het geld kan hij haar trakteren en kunnen ze in de duurste hotels overnachten en in de hipste tenten eten en dagen achter elkaar chillen. Loulou is een luxeleventje gewend, maar hij kan haar nog veel meer bieden, heel veel meer. Ook kan hij zijn moeder geld sturen en cadeautjes kopen voor zijn broertjes en zusje. Hij kan de duurste draaitafel *ever* kopen. Hij zal ervoor zorgen dat hij Loulou en zijn familie gelukkig maakt.

Voor de zekerheid bekijkt Raisel de foto's nog een keer. Twee kostbare plaatjes, maar hij moet ervoor zorgen dat het bewijs sterker wordt. Hij moet in het huis van de man ook zijn sporen achterlaten, om er op het juiste moment gebruik van te maken.
En dan zijn droom. Het gaat echt gebeuren. Shit, waarom heeft die manager niet rechtstreeks met hem gebeld? Hij moet zorgen dat hij zelf het telefoonnummer heeft.
Hij stuurt een sms'je naar Rogier en vraagt hem vriendelijk het nummer door te sturen.
Na een minuut staat het mobiele nummer in zijn venster.
Die man eet uit zijn hand. Straks kan hij niets anders meer.
Ieder uur voelt hij zijn zelfvertrouwen groeien.
In een speciaalzaak koopt hij voor tweehonderdvijftig euro een nieuw mobieltje, waarmee hij geluid en bewegende beelden kan opnemen. Met zijn laatste vijftig euro had hij pasfoto's laten maken, een cd met Caribbean love songs voor Loulou en een fles rum voor zichzelf gekocht. De laatste weken heeft hij meer alcohol gedronken dan de laatste drie jaar bij elkaar. Als hij straks echt voor het grote publiek zijn muziek gaat draaien, moet hij nuchter zijn. Dan kan hij zich geen fouten veroorloven. Vanavond ook niet, maar nu moet zijn hoofd even tot rust komen. Het is belangrijk vanavond een ontspannen, zelfverzekerde indruk te maken. Ook Loulou mag absoluut niets vermoeden.
Langzaam slentert hij met zijn volle tas naar zijn kamer. Hij stapt uit de schaduw en laat zijn huid door de zon verwarmen.

19

Het is vijf voor negen als hij uit de bus stapt. Nog tweehonderd meter. Hij voelt zich nerveus. Loulou heeft hem verzekerd dat haar vader echt niet thuis zal zijn, maar toch: stel dat de man onverwachts zijn plannen heeft gewijzigd? Nog honderd meter. Is dat de auto van de man? De opening tussen zijn keel en slokdarm lijkt te zijn verdwenen, waardoor het speeksel in zijn mond blijft hangen. Nee, het is hem niet. Nog vijftig meter. Nog tien meter. Hij voelt het zweet over zijn rug lopen. Nog twee meter. Een diepe zucht en zijn wijsvinger beweegt recht vooruit en belandt op een goudkleurig knopje.

Johannes Kaemerling advocaat
Marie-Louise Ka...

De deur wordt van het slot gehaald en gaat langzaam open. Het stralende gezicht van Loulou is zo mooi dat het hem sprakeloos maakt.
'Hallo, wat fijn dat je er bent. Kom binnen,' zegt ze en ze kust hem.
Plotseling raakt hij in paniek. Hij moet dit niet doen. Loulou mag nooit iets te weten komen.
'Wat sta je daar nu? Kom binnen.'
Zijn voeten dragen hem over de drempel.

‘Zal ik je jas aannemen?’
Onhandig trekt hij zijn jas uit en geeft hem aan Loulou.
Hij zou met haar op dit moment naar een plek willen gaan waar ze hen nooit kunnen vinden. Alles is goed, als het maar heel ver hiervandaan is.
‘Kom, dan schenk ik iets voor je in.’
Hij knikt, maar zijn lichaam weigert in beweging te komen.
‘Wat is er? Ben je zenuwachtig? Mijn ouders zijn echt niet thuis, hoor, en zo erg zijn ze nu ook weer niet. Kom.’
Loulou pakt zijn hand beet en trekt hem even aan zijn arm.
Hij moet zijn protesterende lichaam meeslepen.
Een grijze deur wordt opengemaakt en tot zijn grote opluchting is er echt niemand te zien.
‘Wat wil je drinken?’
‘Maakt niet uit. Doe maar wat jij neemt.’
‘Oké, maar je drinkt het wel op. Ik ben zo terug. Durf je wel te gaan zitten?’ Ze lacht en verdwijnt de keuken in.
Snel haalt hij met trillende vingers een pasfoto van zichzelf uit zijn broekzak en hij loopt naar het dichtstbijzijnde schilderij. Heel voorzichtig tilt hij het doek een stukje van de muur en klemt de foto tussen de lijst en het doek. Een golf van opluchting gaat door zijn buik. *I was here*, voor het geval meneer het niet gelooft.
Daarna kijkt hij enigszins rustiger om zich heen. Geen familiefoto’s, niets wat naar de man leidt.
Voor honderd procent is hij zeker van het feit dat de man de vader is van Loulou, maar toch zoekt hij steeds maar weer naar bevestiging.
‘Zo, een speciale mix voor mijn vriendje. Eerlijk zeggen wat je ervan vindt.’

Hij neemt het glas aan en neemt een slokje. 'Lekker, van wie heb je dat geleerd?'
'Van mijn vader. Hij is een echte kenner. Steeds als hij in het buitenland is, gaat hij op zoek naar nieuwe mixen en neemt de vreemdste drankjes mee.'
'Je hebt wel een goede relatie met je vader, niet?' vraagt hij haar zo neutraal mogelijk.
'Ja, hij is meestal oké. Soms wel belachelijk streng, maar dat komt waarschijnlijk omdat hij bang is dat mij iets overkomt of dat ik verkeerde keuzes maak.'
'Verkering met een Antilliaan bijvoorbeeld?'
'Nee, doe normaal. Hij is echt geen racist, hoor. Dat kan natuurlijk ook niet als je advocaat bent.'
'Is hij een beroemde advocaat?'
'Ja, ik denk een van de beroemdste in Nederland, en misschien ook wel in het buitenland. Hij wordt vaak gevraagd om belangrijke mensen te verdedigen.'
'Dan zijn er vast veel mensen bang voor hem.'
'Dat weet ik niet. Volgens mij valt het wel mee. Hij staat bekend om zijn menselijke, maar ook slimme aanpak.'
'Vind je het niet vervelend dat hij zo vaak weg is?'
'Nee, je went eraan.'
'Ga je nooit mee naar het buitenland?'
'Nee, ik zit op school, weet je nog? En trouwens, hij moet dag en nacht werken, dus heeft hij nergens anders tijd voor.'
Hij moet stoppen met dit verhoor. Het is te pijnlijk om te horen dat Loulou zo veel vertrouwen in haar vader heeft. Raisel neemt een slokje en kust haar nek.
'Ik vind je zo mooi. Mijn droom is eigenlijk al uitgekomen, maar let op, ik zal je eens een heel leuk nieuwtje vertellen.'

Ze kijkt hem vragend aan.
'Ik ben uitgenodigd door de manager van dj Tiësto om dit weekend in Utrecht te draaien.'
'Wat? En dat vertel je me nu pas?'
'Ja, ik weet het ook pas net.'
'Raisel, wat fantastisch! Hoe heb je dat nu voor elkaar gekregen?'
Even zit hij met een mond vol tanden en hij haalt zijn schouders op. 'Geluk, zal ik maar zeggen. Ik heb iemand ontmoet die veel contacten heeft en mij wilde helpen.'
'Wie dan?'
'Iemand van school.' Zijn woorden klinken steeds minder overtuigd.
'Wauw, ik wil met je mee. Nee, ik moet met je mee. Straks word je nog beroemd en vragen ze je over de hele wereld. Beloof me dat je me dan meeneemt?' vraagt Loulou smekend.
Hij lacht, maar durft niets meer te zeggen.
'Wil je mijn kamer zien?' vraagt Loulou even later enthousiast.
'Zeker, ik wil wel eens zien waar jij iedere nacht van mij droomt,' zegt hij en hij staat op.
Opnieuw verbaast Raisel zich over het grote, chique huis waarin Loulou woont. Op de eerste verdieping telt hij minstens zeven kamers.
'Het lijkt hier wel een hotel,' zegt hij.
'Kijk, hier slaap ik,' antwoordt Loulou en ze opent de deur die naar een kolossale slaapkamer leidt.
Een en al vrolijkheid komt hem tegemoet. Mooie kleuren, grappige posters, een romantisch hemelbed. Dan valt zijn oog op de foto op haar bureau. De man kijkt lachend in de

camera. Naast hem staat zijn stralende dochter. Raisel loopt automatisch naar het bureau en neemt de foto in zijn hand. Het is niet eerlijk. De man maakt alles kapot.
'Wat sta je daar nu te staren? Dat is mijn vader, hoor, of denk je dat ik in het geheim een ouder vriendje heb?'
Raisel zet de foto terug en kijkt haar serieus aan. 'Loulou, ik denk helemaal niet dat dit je vriend is.' De woorden klinken boos.
Ze kijkt hem vragend aan.
'Sorry, maar het idee dat je iemand anders zou hebben, maakt me niet zo blij.'
'Natuurlijk niet. Kom hier, liefje, dan zal ik je bewijzen dat jij de enige bent.'
Terwijl hij haar lippen voelt, schiet hem plotseling te binnen dat hij nog een foto van hen samen moet maken.
'Wacht even, dit mooie moment wil ik even vast leggen.'
Even later is er een plaatje van twee verliefde, kussende mensen toegevoegd aan zijn bewijsmateriaal.

20

Hoewel hij blij is Loulou te zien, voelt Raisel zich gek genoeg een verrader. Zoenen met haar in het huis van de vijand is toch niet normaal? Natuurlijk is het niet zijn schuld dat het zo is gelopen. Maar toch... Had hij Loulous vader maar nooit ontmoet. Die staat nu als een muur tussen hem en Loulou in.

Rond elf uur had Raisel afscheid van Loulou genomen. Ze had hem wel tien keer gesmeekt langer te blijven, maar het idee dat de man ieder moment voor zijn neus zou kunnen staan, had hem bijna gek gemaakt. Hij had haar beloofd dat ze elkaar voor het weekend nog een keer zouden zien.
Als Raisel de hoek omslaat, ziet hij in de verte de bus wegrijden. Er zit niets anders op dan naar het station te lopen. Het komt hem trouwens goed uit even alleen te zijn. Dat biedt hem de gelegenheid alles nog eens zorgvuldig op een rijtje te zetten.
Zijn telefoon gaat.
Shit, alweer die man.
'Hallo, met Raisel.'
'Hallo, met Rogier.'
'Waar ben je?'
'Ik zou het niet weten.'
'Klinkt alsof je de weg kwijt bent.'

'Zoiets ja.'
'Ik zou je vanavond graag ontmoeten.'
Ach, meneer is alweer terug van zijn zogenaamde zakenreisje naar Engeland. Waar overnacht die man eigenlijk? Waarschijnlijk heeft hij nog legio andere seksmaatjes en is het een illusie dat meneer alleen hem zo speciaal zou vinden.
'Sorry, maar dat zal niet gaan.'
'Ik zal je extra belonen.'
'Nee, ik kan niet, zeg ik toch.'
'Goed, dan spreken we morgenavond af. Tien uur in het park.
'Oké, ik zal er zijn.'
'Oh ja, je kunt nog terecht op je school. Het is wel de laatste keer dat ik me ermee bemoei.'
'Oké.'
Raisel drukt de man weg.
Als hij zijn mobiel in zijn zak stopt, ontdekt hij de cd die hij voor Loulou had gekocht. Stom. Misschien kan hij hem morgen aan de man geven en vragen of hij het cadeautje aan zijn dochter wil overhandigen?
Dat ze hem nog steeds een kans geven op die school! Als hij zich morgen meldt, is hij wel verlost van het gezeik van zijn tante. Stel dat ze echt de politie inschakelt? Dan kan hij alles vergeten. Maar als hij serieus iets wil bereiken met zijn muziek, kan hij de school daar niet bij hebben. Ze zullen hem op zijn hielen zitten totdat hij achttien is. Nog twee maanden onderduiken? Het is zo tegenstrijdig: hij wil gezien en gehoord worden door de hele wereld, maar tegelijkertijd moet hij zich schuilhouden en vooral zijn mond niet opendoen.
Na een halfuur lopen is hij eindelijk op het station in Den Bosch aangekomen. In de trein kan hij zijn nieuwe mobiel

uitvoerig bestuderen. Het lukt hem aardig om ongemerkt een stukje film en tekst van de bejaarde passagiers tegenover hem op te nemen.
Welke vraag moet hij morgen aan de man stellen om hem daarna met zijn eigen antwoord te verlinken? Waar en wanneer kan hij ongemerkt een stukje film opnemen?
Hij zou meerdere vangnetten moeten uitzetten. Stel dat hij dreigt de foto's naar het advocatenkantoor te sturen? Of beter nog: naar de krant? Hij zou het anoniem kunnen doen.
Over een paar dagen zal meneer Rogier wensen hem, Raisel Osman uit Curaçao, nooit te hebben ontmoet.

21

Hoe kunnen ze van me verwachten dat ik me juist vandaag meld op school? is de eerste gedachte die bij Raisel opkomt als de wekker om zeven uur oorverdovend door zijn kamer schalt. Op dit moment zijn er dringendere zaken. Zijn leven, zijn toekomst staat op het spel.

In zijn koffer vindt hij de folder van school. Hij toetst het telefoonnummer van de administratie in en schraapt zijn keel.

'Goedemorgen, ROC Eindhoven, zegt u het maar.'

Met een hoge, zeer vreemd klinkende stem antwoordt Raisel: 'Goedemorgen, u spreekt met Noëlla Aras. Ik wil u zeggen dat mijn neef Raisel Osman ziek is. Hij zou zich vandaag melden op school en wil geen problemen, maar hij heeft een longontsteking en moet in bed blijven.'

'In welke klas zit uw neef?'

'In klas vier. Hij gaat dit jaar zijn examen doen.'

'Ja, ik zie hem op de lijst staan. Zorgt u ervoor dat hij een ondertekende brief meeneemt als hij weer beter is?'

'Ja, goed.'

'Wens hem beterschap.'

'Dank u.'

Opgelucht haalt Raisel adem en hij hoest de kriebel uit zijn keel. Als het in de muziek niet gaat lukken, kan hij altijd nog acteur worden.

Steeds maar weer verplicht hij zichzelf zijn plan tot in detail door te nemen. Vanavond moet alles kloppen. Bloednerveus wordt hij ervan. Het is hem nog steeds niet duidelijk hoeveel geld hij zal eisen. Tienduizend? Vijfentwintigduizend? Vijftigduizend? Wil hij het contant? Wanneer moet hij het geld uiterlijk in zijn bezit hebben? Stel dat Loulou besluit niet met hem mee te gaan? Nee, aan dat laatste wil hij liever niet denken.
Er zijn twee manieren om rustig te worden: drank en muziek. Drank kan vandaag absoluut niet, dus blijft muziek over.
Het lukt hem niet meer dan een paar seconden achter elkaar te blijven zitten, laat staan te blijven liggen. Hij pakt zijn koffer uit en even later zorgvuldig weer in. Niet dat hij ervan uitgaat dat hij hier vanavond niet meer terug zal komen, maar hij moet op alles voorbereid zijn. Zijn nieuwe mobiel werkt perfect. De tekst voor vanavond zit in zijn hoofd. Nog maar een douche nemen en proberen zijn opgefokte lijf te laten ontspannen.

Als het negen uur 's avonds is, houdt hij het binnen niet meer uit. Voor de laatste keer controleert hij beide mobieltjes en hij koerst doelbewust op het park af. Bij de ingang zit een keurig geklede man van middelbare leeftijd op een bankje te bellen.
Het is nog zeker vijfhonderd meter tot aan de plek waar de auto's staan.
Misschien had hij toch beter een borrel kunnen nemen.
Als hij ter hoogte van het volgende bankje is, hoort hij dat iemand hem van achteren nadert. Vijf seconden later voelt hij een hand op zijn schouder en hij draait zich met een ruk om.
Het is de man die bij de ingang zat.
'Je bent me al eerder opgevallen. Ik weet dat je van Rogier bent, maar hier in het park geldt de regel dat je vrij bent om te kie-

zen. Het is niet slim om je afhankelijk te maken van één persoon. Meneer Rogier ruilt zijn knaapjes na een maand weer in voor vers vlees. Hij dumpt je niet alleen, hij zal er ook voor zorgen dat je niet geliefd bent bij anderen. Je kunt hem voor zijn door vanavond met mij mee te gaan. Mijn auto staat op de parkeerplaats. Ik breng je naar een besloten party waar je voor één nacht meer kunt vangen dan voor een week bij Rogier.'
De man kijkt Raisel vragend aan.
Totaal overrompeld schudt Raisel zijn hoofd en hij loopt zo ongeïnteresseerd mogelijk door. De man volgt hem.
'Geloof je me niet?'
'Ik heb geen belangstelling,' antwoordt Raisel onvriendelijk en hij versnelt zijn pas.
'Als je slim bent, wissel je nu van werkgever, vriend. Je gooit je eigen ruiten in als je je zo afhankelijk opstelt. Je bent hot en dat weet je. Ik kan je heel veel bieden en ik verzeker je dat je bij mij niet na een maand gedumpt wordt.'
'Laat me met rust. Ik weet heus wel waar ik mee bezig ben.'
'Dan weet je zeker ook wel dat de politie Rogier in de gaten houdt omdat hij in het verleden niet altijd zorgvuldig heeft gehandeld en nog altijd met vuur speelt? Of wil jij beweren dat je al achttien bent?'
De man gaat wijdbeens voor Raisel staan. 'Ik geef je mijn nummer. Bel me als het zover is. Je naam gonst door het park. Ik draai er niet omheen. Ik wil je hebben en heb daar veel voor over.'
Raisel pakt het kaartje aan, toont de man geen enkel positieve reactie en kan inmiddels de zin 'gewoon je ene voet voor de andere zetten' dromen.
Wat een stom idee van hem om een uur voor de afspraak al

naar het park te gaan. Het is niet te geloven wat er het laatste halfuur allemaal aan hem gevraagd is. En dan die hongerige, geile, zielige blikken. Een ontzettende creep was hem zeker een kwartier lang gevolgd en had hem steeds meer geld geboden. Hoe houden mensen dit werk vol? Zou het waar zijn dat Rogier hem over pakweg een week wil dumpen? Des te meer reden om nu zijn slag te slaan.

Nog vijf minuten. Twee Marokkaanse jongens, niet ouder dan veertien jaar, lopen pronkend met hun jonge lijven door het park. Er hangt nog net geen prijskaartje om hun nek.

In de verte ziet hij de Saab de parkeerplaats op rijden. Langzaam loopt hij naar de persoon die zijn leven bijna kapot wist te maken. Bijna!

Raisel opent het portier en gaat zo ontspannen mogelijk zitten, steekt zijn hand in zijn zak en voelt de telefoon. Het knopje van de geluidsopname zit onder zijn wijsvinger.

'Fijn dat je er bent. Vind je het goed als we een stukje verdergaan?'

Raisel knikt. Hij durft niets te zeggen uit angst dat de man de onrust in zijn stem hoort.

De auto rijdt langzaam het parkeerterrein af.

'Is het gelukt met school?'

Weer beweegt Raisel alleen zijn hoofd.

'Is er iets?' vraagt Rogier nu licht geïrriteerd.

'Nee, wat zou er zijn?'

'Je voelt zo gespannen.'

Raisel drukt het knopje in. 'Waar gaan we naartoe?'

'Ergens waar het minder druk is.'

Shit, wat is die vent van plan? 'Is het waar dat u mij over een week inruilt?' vraagt Raisel nogal plompverloren.

De man kijkt hem met een verbaasd gezicht aan en vraagt: 'Waar heb je dat vandaan?'
'Iemand uit het park waarschuwde me ervoor en bood me werk aan.'
'Moet je doen, als je denkt dat het je meer oplevert. Ik hou je niet tegen.'
'Wat vindt u zo speciaal aan mij?'
'Je bent mooi, maar dat weet je zelf ook.'
De vragen die hij thuis heeft voorbereid, kan Raisel zich niet meer herinneren. Hij laat het knopje los. Rustig aan, wachten op het juiste moment. Vooral niets verdachts doen.
De man stuurt de auto naar een verlaten industrieterrein. Laat hem alstublieft niet te ver uit de buurt van de bewoonde wereld gaan.
Het is akelig stil. Rechts en links bedrijfspanden. Geen enkel levend wezen.
Na een paar minuten rijdt Rogier de auto tussen twee panden in, hij stopt en dooft de lampen.
Hij werpt even een blik op Raisel, laat de leuning van zijn stoel naar achteren bewegen en sluit zijn ogen.
Dit is het moment om het geluidsknopje weer in te drukken.
'Waar kan ik u vanavond blij mee maken?' vraagt Raisel met een fluisterstem.
'Ik wil dat je me opwindende dingen vertelt en me je mooie lijf laat zien.'
Bingo, van deze woorden gaat de man eeuwig spijt krijgen.
Raisel laat het knopje los en veegt zijn zwetende hand af aan de binnenkant van zijn broekzak.
Terwijl hij met bevende handen de bovenste knoop van zijn broek losknoopt, probeert hij antwoord te vinden op de vraag

hoe hij de perfecte foto kan maken. Hij moet wachten op het moment dat de man echt opgewonden is en dan zorgen dat hij een opname van hen samen kan maken.
Zijn handen beginnen hevig te trillen. Moet hij nog wel foto's maken? Zijn de foto's die hij al heeft niet voldoende? Stel dat de man hem doorheeft? Hij kan geen kant op in dit afgelegen gebied.
Rogier opent zijn ogen. 'Wat is er?'
Raisel moet nu handelen, maar een stem in zijn hoofd zegt dat hij moet uitstappen.
'Ik moet eerst even plassen,' zegt hij en hij opent haastig het portier.
De man sluit zijn ogen en knikt alleen maar.
Terwijl Raisel een paar meter van de auto vandaan loopt, herhaalt een stem in zijn hoofd: nadenken, rustig blijven, nadenken, rustig blijven.
Hij moet niet terug in de auto gaan. Alleen zijn woordje doen, zijn eisen duidelijk maken en wegwezen. Hij herhaalt de woorden die hij over enkele ogenblikken overtuigd moet zeggen. Nu.
Langzaam loopt hij terug.
Rogier zit nog altijd in dezelfde houding en heeft zo te zien zijn ogen nog altijd gesloten.
Raisel klopt op het raam. Het portier gaat open.
Nu.
Raisel zet beide handen op de rand van het dak en bukt zich voorover.
'Denkt u dat uw dochter het u vergeeft als ze weet waar u mee bezig bent?'
Rogier draait zijn hoofd en kijkt hem verbaasd aan.
Nu zijn eisen stellen.

'Ik neem aan dat u niet weet dat ik het vriendje van uw dochter ben en dat u er veel voor overhebt als ik Loulou en uw vrouw niets vertel.'
De ogen van de man doen hem denken aan een wild beest. Raisel hoort hem zwaarder ademhalen en ziet de aders in zijn nek opzwellen.
'Ik heb voldoende bewijsmateriaal om u te laten hangen. Als u aan mijn eisen voldoet, zult u geen last meer van me hebben.' Raisel voelt het bloed in zijn hoofd bonzen. Zijn nagels laten waarschijnlijk strepen na in de lak op het dak, maar als hij zich niet stevig aan iets kan vasthouden, zakt hij waarschijnlijk door zijn benen.
De blik van de man is angstaanjagend.
'Ik wil vijftigduizend euro. Morgenvroeg moet ik het hebben. Ik heb foto's en een opgenomen gesprek. Als u niet aan mijn eisen voldoet, zal ik alles aan uw dochter en vrouw vertellen. Verder ga ik naar de politie en licht ik de krant in. Dus u geeft me morgenvroeg voor twaalf uur het geld, dan zal ik het bewijsmateriaal vernietigen en zult u geen last meer van me hebben.'
Raisel haalt zijn verkrampte handen van het dak en draait zich abrupt om. Weg hier! schreeuwt een stem in zijn hoofd.
Nog geen twee seconden later hoort hij dat de auto wordt gestart en dat het voertuig langzaam zijn kant op komt.

22

Raisel heeft de neiging te gaan rennen, maar verplicht zichzelf zo rustig mogelijk door te lopen. De auto komt naast hem rijden.
Het raampje glijdt open en Raisel hoort honend gelach. Daarna hoort hij de man zeggen: 'Dus jij wilt mij wijsmaken dat je een relatie met mijn dochter hebt?'
'Ik maak u niets wijs.'
De man schudt zijn hoofd en lacht dit keer nog harder.
'Misschien moet u thuis even achter het schilderij met de dansende vrouwen kijken, dan bent u snel uitgelachen.'
Rogier knijpt zijn ogen half dicht en heel even is er iets van angst te zien in zijn gezicht, maar binnen twee tellen verhardt de blik weer en zegt hij beheerst: 'Wat heb jij weinig ervaring in deze wereld. Een Antilliaanse straatjongen zoals jij heeft helemaal niets, maar dan ook niets te zeggen, vriend, dus zet je plannen uit je hoofd en denk goed na, nu je nog kúnt nadenken.'
Raisel versnelt zijn pas. 'Dat heb ik gedaan. Ik heb voldoende bewijsmateriaal, onder andere een naaktfoto die ik gemaakt heb toen u uit de sauna kwam.'
De auto rijdt nu op niet meer dan een halve meter van hem vandaan. 'Zo, je wilt het spelletje echt hard spelen, dan zal ik nu míjn regels aan je duidelijk maken. Luister goed, want ik

vertel ze je slechts één keer. Als jij nog één keer met zulke kinderlijke ideeën komt, zal ik de volgende drie acties ondernemen.
A: Je grote vriend Sheldon en zijn maten zullen je opzoeken en je een onvergetelijke avond bezorgen.
B: De manager zal je morgenvroeg bellen met de mededeling dat hij zich vergist heeft in je talenten.
C: Mijn dochter zal je nooit meer willen zien, nadat ze van mij heeft gehoord dat je een strafblad hebt en haar allerlei leugens hebt verteld.'
Rogier kijkt Raisel minachtend aan.
'Ik heb geen strafblad.'
'Je bent zeker vergeten dat ik veel kan regelen.'
De man bluft. Loulou zal haar vader niet geloven en de manager heeft zelf gehoord wat hij kan. En Sheldon en zijn maten...
Rogier trommelt met zijn vingers op het stuur en zegt zogenaamd vriendelijk: 'Dus, wat gaan we afspreken?
'Dat u mij het geld geeft en me verder met rust laat,' antwoordt Raisel zo normaal mogelijk, maar de paniek in zijn stem is overduidelijk.
'Oh ja, ik vergeet je nog te zeggen dat ik je met medewerking van collega's je morgen nog het land uit kan laten zetten,' voegt de man er met een vals lachje aan toe.
Raisel staat stil en kijkt Rogier recht in de ogen. 'U maakt mij niet bang. Als ik de foto morgen aanbied aan een journalist, hangt u en dat weet u ook.'
Weer die minachtende blik. 'Bespaar je de moeite. Je maakt jezelf volkomen belachelijk. Denk nu eens goed na: jíj verliest altijd. Jíj bent degene die straks alleen, zonder dromen, zonder vriendin, zonder geld, zonder diploma, maar met een enorme

kater in het vliegtuig terug naar huis zit. Als je daarvoor kiest, moet je vooral doorgaan met je kinderachtige gedoe.'
'Dus u vindt het niet erg als ik zo meteen uw vrouw en uw dochter inlicht?'
'Denk je nu echt dat ze je geloven? En wat die foto betreft: ik kom wel vaker in de sauna, en het is algemeen bekend dat je daar geen kleren draagt.'
'Ik heb meer bewijsmateriaal.'
'Prima, als je zonodig door wilt gaan met je domme actie, zijn de consequenties voor jou. Je hebt mijn regels gehoord, dus aan jou de keuze.'
'Ik wil het geld, morgenvroeg.'
De man schudt zijn hoofd. 'Ik zou maar heel snel alles vernietigen en neem straks een borrel op mijn kosten, dan word je misschien iets rustiger. Ik bel je nog wel.' Het raam glijdt dicht en even later rijdt de man de auto in volle vaart naar de bewoonde wereld.
*Bo ta kono mama.** Wat denkt die klootzak? Dat hij huilend in de armen van die ouwe viezerik valt en hem zijn excuses aanbiedt? Dat meneer met zijn geld en zogenaamde hoge vriendjes overal onderuit kan komen? Dan vergist hij zich heel erg. Raisel gaat op een muurtje zitten en voelt een enorme woede in zich opwellen. Al kost het zijn eigen kop: de man gaat eraan. Dat hij niet eens vraagt naar de foto's! En geen enkele vraag over zijn dochter! Meneer durft de harde feiten niet onder ogen te zien. Dat is het. Geloof maar dat meneer de advocaat op dit moment in zijn broek schijt en zich afvraagt hoe

* Rot op, klootzak.

hij op korte termijn aan het geld moet komen. Morgen is het voorbij. Vanaf morgen geen gezeik meer aan zijn kop.
Hij zou zich nu supergoed moeten voelen, maar hij voelt zich daarentegen paniekerig. Stel dat die man morgen niet met het geld, maar met een knokploeg voor zijn deur staat? Stel dat hij de manager van de muziekstudio echt kan omkopen? Stel dat hij zijn dochter allerlei leugens vertelt?
De druk op Raisels borst neemt toe. De vragen in zijn hoofd maken hem gek. De weg naar huis is een hel.

23

Halverwege het industrieterrein en zijn kamer had hij serieus overwogen de laatste trein naar Den Bosch te nemen om de rest van de familie Kaemerling persoonlijk in te lichten. Hij had het niet gedaan. Enkele minuten daarna had hij zich ernstig afgevraagd of hij deze nacht niet beter in een hotel zou kunnen overnachten. Hij had het niet gedaan. Toen hij bij het park was gearriveerd, had hij willen schreeuwen dat het één grote corrupte smerige wereld was. Hij had het niet gedaan. Hij was als een dief in de nacht zijn huis binnen geslopen, had alle sloten drie keer gecontroleerd en was uitgeput in slaap gevallen.

De bel doet hem verstijven van schrik. Het is vier uur in de nacht!
Niet opendoen. Gewoon negeren. Maar stel dat zijn bovenbuurvrouw ook wakker is geworden en wel van plan is open te doen?
Het zou natuurlijk de man mét het geld kunnen zijn.
Hij houdt zijn adem in en luistert of hij geluiden herkent. Niets, alleen de bel die voor de tweede keer door het huis galmt. Shit, hij moet iets doen.
Is er een manier om te ontdekken wie er voor zijn deur staat?
Hij zet één voor één zijn voeten op het koude zeil, graait een

shirt van de grond en trekt het over zijn hoofd. Als hij naar de voordeur loopt, slaat zijn hart een paar keer over.
'Wie is daar?' vraagt hij nerveus.
'We komen een envelop brengen,' antwoordt een onbekende stem.
'Wie zijn wij?'
'Kennissen van Rogier.'
Raisel twijfelt. Dan ontdekt hij de brievenbus.
'Duw het maar door de gleuf.'
'Nee, dat gaat niet lukken. We hebben nadrukkelijk de opdracht gekregen om het je persoonlijk te overhandigen.'
Raisel dwingt zichzelf rustig te ademen en na te denken, maar de dreun in zijn hoofd jaagt hem alleen maar op.
'Laat ons nu maar binnen, of moeten we het teruggeven?'
'Oké, maar geen geintjes.'
Raisel zet een stap naar voren, voelt zich absoluut niet op zijn gemak, maar trekt toch heel langzaam de haak naar links.
De deur wordt opengetrapt en twee onbekende gasten duwen Raisel op hardhandige wijze terug naar binnen. Een van hen grijpt ruw zijn polsen beet en met enorm veel kracht worden beide armen op zijn rug getrokken. Een knie belandt in zijn onderrug en een misselijkmakende pijnscheut schiet door zijn lijf. De andere vent gaat recht voor hem staan en haalt een envelop uit zijn binnenzak. Het blijft enkele tellen doodstil. 'Deze is voor jou, vriend. Helaas mogen we van Rogier je mooie smoeltje niet verbouwen, nu nog niet tenminste.'
Eén arm wordt losgelaten, maar als Raisel de envelop wil pakken, zwaait de vreemde gozer het witte geval voor zijn ogen.
'Wacht even, wat had Rogier nog meer gevraagd?'

De gozer die achter Raisel staat antwoordt spottend: 'Dat is waar ook. Hij verzoekt je vriendelijk, maar wel dringend, vanavond om negen uur in het park te zijn.'
Het lukt Raisel zijn andere hand los te rukken.
De envelop wordt op de grond gegooid. Een van de gozers loopt er met zijn schoen overheen en beide gasten verdwijnen zonder een woord te zeggen de nacht in.
Met zijn pijnlijke hand raapt Raisel het verfrommelde geval van de vloer en hij strompelt zijn kamer binnen.
Gehaast scheurt hij het bovenste stuk eraf. Shit, shit, shit. Geen geld. Klootzak.
Wel een geprint A4'tje.

Jouw kinderlijke, domme plannen zullen je heel duur komen te staan. Er zal niets van jou en je dromen overblijven.
Dat je niet weet hoe deze wereld in elkaar zit, neem ik je niet kwalijk, wel dat je mijn vertrouwen hebt beschaamd.
Ik ben bereid je nog één kans te geven.
Realiseer je dat het dan wel volgens mijn voorwaarden gaat. In dat plan zal mijn dochter nooit meer genoemd worden en zullen alle contacten met haar vanaf heden verbroken zijn.
Mocht je toch het idee hebben dat je iets kunt bereiken met je actie, weet dan dat je zelf verantwoordelijk bent voor de gevolgen. Deze wereld is hard, het spel wordt hard gespeeld.

PS *Mocht je vanavond om negen uur niet aanwezig zijn in het park, dan raad ik je aan het land voor die tijd te verlaten. Dit alles voor je eigen bestwil.*
Vernietig het bewijsmateriaal.

Wat denkt die vent? Dat hij een gek is? Dat hij alles opgeeft en als een geslagen hond teruggaat naar de Antillen? Dat hij Loulou zomaar uit zijn hoofd zet? Wie is hier nu fout bezig?

Slapen lukt niet meer.
De ene na de andere agressieve gedachte schiet door zijn hoofd. Op geen enkele manier kan hij zijn hoofd rustig krijgen. Eén ding is zeker: de man gaat eraan.
Naast de twee foto's en de opgenomen tekst heeft Raisel nu ook de brief van de man als bewijs. Helaas heeft de man die niet ondertekend. Is het wel voldoende? Hij kan met het verzamelde materiaal niet bewijzen dat de man ook echt seks met hem, met een minderjarige dus, heeft gehad. Er moet een getuige zijn. Dat is het! Iemand moet met eigen ogen zien wat die man voor zieke hobby heeft en bereid zijn te getuigen tegen de man. Hij zoekt in zijn portemonnee naar het kaartje van de man die hem gisteren in het park had aangesproken. Nog voordat hij het gevonden heeft, staakt hij het zoeken. Nee, die man zit in hetzelfde schuitje. Die zegt natuurlijk niets. Sheldon? Nee, die al helemaal niet. Sheldon leeft van het geld van meneer Rogier. Zijn tante? Oh mijn god, ze krijgt een beroerte en zal zijn arme moeder inlichten. Loulou?
Het is een verschrikkelijk idee, maar wat kan hij anders doen? Natuurlijk wil hij haar geen pijn doen, maar als hij de man ergens mee kan breken, is het de getuigenis van zijn dochter. Maar kan hij dit Loulou aandoen? Als ze weet dat haar vader seks heeft met jonge jongens zal ze haar familie haten en ieder contact met ze verbreken. Hij ziet haar gezicht voor zich. Wil hij het op zijn geweten hebben dat Loulou enorm

gekrenkt zal worden? Nee, natuurlijk niet, maar hij kan echt geen kant meer op, en de gedachte dat niet de man maar hijzelf kapot wordt gemaakt, is nog ondraaglijker.
Hij moet haar zien te bereiken. Misschien moet hij haar kort voor halfnegen bellen, dan is ze op weg naar school en heeft ze haar mobiel nog aan staan. Hij kan zeggen dat hij ziek is en haar hulp nodig heeft. Nee, hij kan haar uitnodigen voor de film, of ja... Hij gaat haar uitnodigen voor een etentje.
Tot kwart over acht probeert hij zich niet te verliezen in de zuigende angst. Het lukt hem niet. Deze hele situatie moet snel afgelopen zijn, anders stort hij compleet in.
Hij toetst haar nummer in.
'Met Loulou.'
'Hallo, met mij.'
'Hé, Raisel, wat bel jij vroeg. Is er iets?'
'Ja, ik wil je voor vanavond uitnodigen. Ik trakteer je op een etentje.'
'Zo, wat leuk, maar besef je wel dat het donderdag is en dat we morgen gewoon naar school moeten?'
'Ja, dat weet ik.'
'Heb je iets te vieren?'
'Dat vertel ik je vanavond. Kom je?'
'Ik weet niet, Raisel. Als mijn ouders erachter komen...'
'Zeg dat je huiswerk bij iemand gaat maken.'
'Ja, dat zou ik kunnen doen, maar als ze me betrappen, ben ik goed nat.'
'Daarom wil ik graag dat je naar Eindhoven komt. Dat is een stuk veiliger, toch? Ik kom je van het station halen. Loulou, ik wil je zo ontzettend graag zien.'
'Oké, oké, ik kom, maar dan moet ik wel op tijd terug.'

'Goed, ik haal je om zeven uur op. *Mi ta stima bo.**'
'Ik ook van jou, maar ik hang nu op, anders kom ik nog te laat.'
Ze maakt een kusgeluid en verbreekt dan de verbinding.

Steeds weer ziet hij het gezicht van Loulou voor zich. Waar is hij in hemelsnaam aan begonnen?
Natuurlijk had hij hier nooit voor gekozen als die man maar aan zijn eisen had voldaan, maar nu alles terugdraaien en Loulou nooit meer zien?
Hij voelt zich in het nauw gedreven, maar zal pas opgeven als de man ook zijn portie heeft gehad. Het bestaat niet dat hij het enige slachtoffer is van de illegale praktijken van meneer Rogier.
Het idee dat Loulou van niks weet en hem over een paar uur zal omhelzen, doet hem pijn. In gedachten ziet hij behalve het gezicht van Loulou ook zijn moeder steeds weer opduiken en hij hoort haar zeggen: 'Ga dat meisje geen verdriet doen. Laat zien dat je een goeie jongen bent. Pak je spullen en kom naar huis. Je hebt domme dingen gedaan, maar stop nu het nog kan. Maak wat van je leven.'
Ze heeft gelijk, maar de drang om die man te laten zien dat hij niet zomaar opgeeft, is sterker.
Om vier uur verlaat hij met het bewijsmateriaal zijn kamer. Door de stad zwerven geeft hem misschien wat afleiding.
De minuten kruipen voorbij.
Stel dat die gluiperd zijn dochter al heeft ingelicht? Raisel

---

* Ik hou van je.

checkt zijn berichten, maar heeft niets ontvangen. Stel dat ze nu te horen heeft gekregen dat haar vriendje een slechte jongen is, met een strafblad? Hij had haar meteen de waarheid moeten vertellen. Dan had ze een eerlijke kans gehad. Nu wordt ze over een paar uur gedwongen getuige te zijn van een gebeurtenis die waarschijnlijk haar leven totaal op zijn kop zet.
Het laatste halfuur houdt hij zich schuil in het café tegenover het station. Hij drinkt drie koppen koffie om helder te blijven en controleert steeds maar weer zijn voicemail en berichten.
Vijf voor zeven. Hij rekent af en loopt naar het perron waar de trein uit Den Bosch zal arriveren.
Dan ziet hij haar uitstappen. Ze ziet hem direct en komt op hem toe gesneld. Haar haren dansen en haar lach is zelfs vanaf meters afstand te horen.
Hij pakt met beide handen haar hoofd beet en kust haar zachte lippen. Als ze elkaar even loslaten, fluistert ze: 'Dag, liefje.'
Raisel kan even geen woord uitbrengen, pakt haar hand vast en samen lopen ze naar de uitgang.
'En, waar gaan we naartoe?' vraagt ze hem.
'Ik heb een leuk Italiaans restaurantje gezien. We moeten ongeveer tien minuten lopen.'
'Dan mag ik nu zeker wel weten wat je te vieren hebt?'
'Onze liefde,' fluistert hij en hij kust het kuiltje in haar wang.
'Je verwent me te veel. Ik heb de hele dag aan je gedacht,' zegt Loulou.
'Ik ook aan jou.'

In het restaurant krijgen ze een tafeltje bij het raam en ze bestellen allebei een pizza.
Loulou vertelt honderduit. Het is duidelijk: ze weet van niets.

Raisel kan zijn ogen niet van haar af houden en luistert. Alles wat ze vertelt is goed, alles wat ze doet is goed.
Hij krijgt de pizza maar met moeite weggeslikt, maar het lukt hem tweederde op te eten. De ober steekt nieuwe kaarsen aan en knipoogt een keer.
Het is acht uur als dezelfde ober de borden ophaalt en vraagt of ze nog een dessert willen.
Gelukkig wil Loulou nog een ijsje. Een dame blanche.
'Kijk, zo lekker zijn wij ook samen, een mix van wit en bruin, de perfecte combinatie,' zegt ze lachend en met het puntje van haar tong likt ze van het laagje slagroom. Raisel glimlacht en kijkt snel op zijn horloge, om haar blik te kunnen ontwijken.
Als het kwart voor negen is, rekent hij af en helpt hij Loulou in haar jas. Hand in hand verlaten ze het restaurant en Loulou legt haar hoofd op zijn schouder.
De stem in zijn hoofd vloekt.

24

Het park ligt op de route naar het station. Loulou houdt Raisels hand stevig vast. Hij zou haar voor eeuwig willen vasthouden.
'Ik kan de trein van halftien nemen, dan ben ik op tijd weer thuis. Mijn vader zit waarschijnlijk op me te wachten. Weet je wat hij vanmorgen tegen me zei?'
Raisel schrikt van haar vraag, en zijn hart slaat een slag over.
'Hij stelde voor om een dansstage voor me in de Verenigde Staten te regelen.'
De gluiperd. Zo zeker is hij dus niet van zijn zaak, denkt Raisel, maar hij dwingt zichzelf vriendelijk te vragen: 'En, zou je dat willen?'
'Nou, ja, Amerika is wel mijn droom, maar ik wil natuurlijk niet zonder jou.'
'Meen je dat? Amerika staat bekend om mooie, rijke mannen.'
Ze stopt plotseling en kijkt hem serieus aan. 'Ja, ik meen het echt, Raisel. Ik realiseer me heus wel dat we elkaar nog maar kort kennen, maar het voelt zo goed om bij je te zijn. Dit gevoel is helemaal nieuw voor mij. Ik was bij mijn vorige vriendjes altijd onzeker, maar jij geeft me zelfvertrouwen en je voelt me zo goed aan. Ik voel me relaxed bij je.'
Raisels benen willen niet meer verder. Hij kijkt in haar eerlijke, trouwe ogen en voelt zich misselijk worden. Zijn gezichts-

spieren maken ongecontroleerde bewegingen, zijn handen zweten.
Loulou kijkt hem bezorgd aan. 'Wat is er, Raisel? Voel je je niet goed? Je trilt helemaal.'
'Nee, het gaat wel.' Hij knijpt even in haar hand en probeert een lach tevoorschijn te toveren.
Nee, hij kan dit niet. 'Kom, we lopen niet goed op deze manier,' zegt hij ineens vastbesloten en hij draait zich om. Nietsvermoedend loopt Loulou met hem mee. Het is vijf voor negen. Met snelle passen loopt hij van het park vandaan.
'We hebben alle tijd, hoor, of wil je me kwijt?' vraagt ze.
'Nee, natuurlijk niet, sorry.'
De stem in zijn hoofd is weer aanwezig en herhaalt monotoon: We gaan je pakken. We gaan je pijn doen. Je gaat eraan. We gaan je pakken. We gaan...
Hij moet zorgen dat ze hem niet vinden. Hij moet ervoor zorgen dat hij zich kan verdedigen.
'Heb je je al goed voorbereid voor zaterdag?' vraagt ze voorzichtig.
Hij hoort de vraag wel, maar zijn hersenen sturen allerlei vreemde signalen door, waardoor het niet lukt om te antwoorden. Het gedreun in zijn hoofd wordt steeds heftiger.
'Raisel, ik weet het niet, hoor, maar het lijkt wel alsof je heel erg zenuwachtig bent. Wat is er? Je kunt me alles vertellen.'
'Nee, dat kan ik niet!' roept hij ongewild fel.
Ze stopt en kijkt hem angstig aan. 'Hoezo? Wat bedoel je?'
'Niets. Ik breng je naar het station.' Hij wil verder lopen, maar ze houdt hem tegen.
'Als je echt om me geeft, vertel je me wat er is. Ik zweer je dat ik je niet in de steek laat. Nooit. Raisel, heb je problemen?'

‘Nee, laat nu maar. Straks mis je nog je trein.’ Hij trekt aan haar arm, maar ze gaat demonstratief op een paaltje zitten.
‘Nou en? Dan blijf ik toch gewoon bij jou slapen? Ik wil wel eens zien waar je woont,’ zegt ze zo vrolijk mogelijk, maar hij hoort dat ze gespannen is.
‘Ja, ja, en je vader dan? Hij vermoordt mij.’
‘Hoezo? Waarom zeg je dat? Hij weet toch niet wie jij bent of dat ik bij jou ben?’
Het blijft stil.
‘Als je nu niet meeloopt, mis je echt je trein,’ probeert hij, maar aan haar vastberaden houding ziet hij dat ze niet van plan is op te staan.
Haar blik brengt hem van zijn stuk. Ze kijkt hem zo indringend aan.
‘Wat wil je nu horen?’ vraagt hij geïrriteerd.
‘Gewoon de waarheid. Wat kun jij me niet vertellen?’ vraagt ze heel serieus.
Hij ontwijkt haar blik en wil weg. Ze moet nu naar huis gaan en zich nergens mee bemoeien.
‘Het heeft met mijn vader te maken, niet?’
Ze moet nu echt ophouden.
‘Ken je mijn vader?’
Hoe lang gaat hij dit nog volhouden?
‘Raisel, je moet het me vertellen. Ik beloof je dat ik je niet laat vallen, ook al heb je nog zoiets verkeerds gedaan.’
Als hij opkijkt trilt zijn mond en hij voelt dat hij zijn tranen niet langer meer tegen kan houden.
Ze komt naar hem toe en houdt hem stevig vast.
Hij huilt. Alle angst en opgekropte spanningen van de laatste tijd stromen met de tranen mee. Loulou zegt niets. Ze streelt

hem over zijn hoofd en veegt zijn tranen met haar handpalmen weg.
'Vertel het me dan, alsjeblieft, Raisel. Ik help je.'

Hij wringt zich los en loopt verder. Wat maakt het allemaal nog uit? Hij is haar kwijt.
Ze pakt zijn hand beet en probeert hem weer tegen te houden. 'Denk je dat je mij op deze manier niet kwetst? Niks is zo erg als iemand te zien lijden en hem niet te kunnen helpen,' zegt ze wanhopig.
Hij staat stil en kijkt haar aan. 'Ik wil je geen verdriet doen, maar je kunt me niet helpen.'
'Misschien kan mijn vader je helpen, hij is advocaat, weet je?'
Dan breekt er iets in hem. Hij probeert de woorden weg te duwen, maar ze storten zich naar buiten. 'Jouw vader is het probleem, hij maakt alles kapot, alles.'
Loulou houdt plotseling op met lopen. Haar ogen! Wat kijkt ze angstig. Ze ziet helemaal bleek en staat een paar tellen als een standbeeld voor hem.
'Mijn vader? Vertel me wat die er in godsnaam mee te maken heeft.'
Meteen heeft Raisel veel spijt van zijn woorden en hij draait zich om.
'Raisel, je moet het me zeggen. Wát heeft mijn vader hiermee te maken?'
Het lukt niet. Hij kan het niet.
Loulou pakt met beide handen zijn armen beet en schudt hem door elkaar. 'Vertel het dan!'
'Hij heeft seks met jonge jongens.'
Loulou laat zijn armen los en doet een stap achteruit. Haar blik

is bloedserieus. Langzaam schudt ze haar hoofd heen en weer. Hij wil haar vastpakken, maar ze zet weer een stap achteruit en weert hem af.
'Loulou, het spijt me zo. Ik wilde niet dat je het ooit te weten zou komen.'
Ze kijkt hem fel aan. 'Hoe weet jij nu wie mijn vader is, en waar slaat het op om te zeggen dat hij seks heeft met jongens? Ben je wel helemaal goed bij je hoofd?'
Hij zou het willen uitleggen, maar wat moet hij haar vertellen?
'Nou? Vertel je me nog waarom je zulke kwetsende dingen over mijn vader zegt?'
Hij haalt zijn schouders op, durft haar niet meer aan te kijken. Dan voelt hij haar handen weer om zijn armen geklemd. Terwijl ze hem heen en weer schudt, roept ze: 'Ik wil dat je mij vertelt waarom je dit zegt.'
'Omdat het waar is en ik zo stom ben geweest eraan mee te doen!' schreeuwt hij.
Loulou kijkt hem recht in zijn ogen. Raisel ziet dat ze totaal overrompeld is.
Dan draait ze zich om en loopt met grote passen bij hem vandaan.
'Loulou, alsjeblieft, loop niet weg. Ik vind het ook vreselijk, maar het is waar. Het spijt me zo, maar ik zweer het je, ik vertel je de waarheid.'
Ze draait zich om. Er staan tranen in haar ogen en ze wappert met haar handen in de lucht. 'Ik word hier gek van. Waar ken jij mijn vader van en waar heb je hem dan ontmoet? Nou?'
Hij zou haar tranen willen wegvegen en haar willen vastpakken, maar ze blijft op een afstandje van hem staan.

'Zullen we dan even daar op het bankje gaan zitten, dan vertel ik je wat je weten wilt.'
Ze blijft staan.
Hij loopt langzaam naar haar toe en steekt zijn hand naar voren.
Ze kijkt hem alleen maar ontzettend boos aan.
'Loulou, geloof me, ik vind het zo vreselijk om je verdriet te doen en schaam me kapot, maar ik kan het niet meer terugdraaien.'
Tot zijn opluchting loopt ze naar het bankje en ze gaat op het uiterste puntje zitten.
Voorzichtig gaat hij naast haar zitten. Het blijft minutenlang stil.
Dan kijkt ze hem aan. 'Weet je wel zeker dat je het over mijn vader hebt?'
Hij knikt en staart naar de grond.
'Waar heb jij mijn vader ontmoet?'
'In het park,' zegt hij resoluut.
'Welk park?'
'Hier vlakbij.'
'Waarom zou mijn vader in Eindhoven naar een park gaan?'
'Dat heb ik je toch verteld!'
'Raisel, mijn ouders zijn gelukkig getrouwd. Dan gaat hij toch niet naar zo'n park?'
Ze kijkt hem indringend aan. 'Jezus, man, en jij... Je wilt me toch niet zeggen dat jij... Nee.'
Hij wil haar aanraken, maar ze slaat hem met beide handen weg. 'Blijf van me af.'
'Loulou, ik wil je zo graag helpen, maar ik ben bang dat ik je alleen maar meer kwets. Wat je ook van me denkt: ik spreek de

waarheid. Ik weet dat ik ontzettend stom ben geweest, maar als ik geweten had dat jij zijn dochter bent...'
Ze staat op en gaat recht voor hem staan.
'Ik geloof het niet.'
Dan schieten de foto's hem te binnen. Die van de man in het hotel in Parijs. 'Ik kan je een foto laten zien die ik van je vader heb gemaakt.'
Loulou veegt haar tranen weg en haar woorden klinken akelig kil. 'Oké, laat maar zien.'
Hij haalt zijn telefoon uit zijn zak en zoekt naar de foto waar de man in bed ligt.
Als hij Loulou de foto laat zien wendt ze haar hoofd af. Daarna staart ze wel een minuut lang naar het scherm.
'Waar is die genomen en wanneer?'
'In Parijs. Vorige week, maandag en dinsdag was ik daar met je vader.'
Weer kijkt ze hem akelig lang aan. In haar ogen ziet hij de paniek.
Ze staat plotseling op en zegt: 'Ik wil naar huis.'
'Dan loop ik met je mee... als dat mag.'
De hele weg naar het station spreken ze geen woord meer tegen elkaar.

25

Dat hij zelf diep in de shit zit, maakt hem misselijk, maar dat hij Loulou ook in zijn ellende heeft meegesleept, is ondraaglijk.
Ze had helemaal niets meer gezegd. Toen ze in de trein was gestapt, had ze hem nog wel even aangekeken en haar hoofd op een radeloze manier heen en weer geschud. Hij had haar nog zo graag even vastgehouden.
Als de trein niet meer te zien is, komt er een berichtje op zijn mobiel binnen. Het is van Rogier.

> Je was vanavond niet zoals afgesproken in het park.
> De consequenties zijn geheel voor jou.

Ze zullen hem uit de weg willen ruimen. Wat gaan ze doen? Hem een kogel door zijn kop jagen? Iets in zijn drank gooien en hem daarna in stukken snijden en in een vuilniszak stoppen? Hij moet de politie waarschuwen. Wat gaat hij hun vertellen en waarom zouden ze hem geloven? Hij staat er alleen voor. Hij moet zichzelf beschermen. Een pistool, daarmee kan hij zich misschien verdedigen. Maar hoe komt hij daaraan?
Misschien wachten ze hem buiten het station al op, maar ze zullen zich dan nog rustig houden. Te veel getuigen. Maar

stel dat hij zo meteen de donkere weg naar zijn kamer moet afleggen? Ze kunnen zich overal verborgen houden en onverwachts toeslaan.
Hij moet Loulou in ieder geval nog een berichtje sturen.

Lieve Loulou, het spijt me zo.
Ik zou willen dat het allemaal anders was gegaan.
Ik wilde dat ik je kon troosten.
Ik hou van je!
Raisel

Hij stopt zijn mobiel in zijn zak en kijkt minutenlang om zich heen. Geen verdachte personen, tenminste niet zichtbaar.
Er zit niet veel anders op dan naar de uitgang te lopen. Elke meter lijkt een kilometer.
Ook bij de uitgang laten ze hem met rust. Maar dan moet hij toch naar buiten.
Misschien kan hij zijn moeder nog even bellen? Nee, niet nog meer mensen erbij betrekken.
De eerste tien meter gaan goed. Hij stopt en kijkt spiedend om zich heen.
De volgende tien meter meldt zich nog altijd geen bekende. Hij probeert te bedenken of hij via een alternatieve weg naar huis kan lopen en of er een mogelijkheid is om via de tuin in zijn huis te komen. Als de schuif niet op de achterdeur zit, moet dat lukken.
Het is zeker een kilometer om, maar ze zullen hem hier waarschijnlijk niet zoeken. De spanning neemt nog meer toe als hij nog maar één straat verwijderd is van zijn huis. Via een

brandgang bereikt hij de tuin. Het ziet er rustig uit. Er brandt wel licht bij zijn bovenbuurvrouw.
Hij loopt naar de achterkant van het huis en gaat met zijn rug tegen de muur staan. Zijn hart bonkt als een bezetene. Heel even buigt hij zijn bovenlichaam om door het raam van zijn kamer te kijken. Niemand.
Hij loopt naar de deur, draait de sleutel om en duwt tegen de deur. Hij gaat open. In de keuken is het pikdonker, maar hij knipt geen lampje aan. Hij luistert gespannen. Er komen geen geluiden uit zijn kamer. Op de tast vindt hij de klink van zijn kamerdeur. Hij trekt heel voorzichtig de deur open en wacht. Geen reactie. Dan zet hij een voet over de drempel en hij houdt zijn adem in. Niets. Nog een voet. Heel snel gooit hij de deur dicht. Pas nu voelt hij zijn lichaam trillen.
Behalve zijn opgejaagde ademhaling hoort hij niets. Heel voorzichtig loopt hij enkele passen naar zijn bed en hij slaat het dekbed terug. Niets. Als hij naar de kast loopt, hoort hij voetstappen. Hij verstijft en luistert. Het komt van boven, waarschijnlijk van het meisje.
Na een paar minuten weet hij bijna zeker dat hij alleen is en hij laat zich op zijn bed vallen. Hoe heeft hij zo dom kunnen zijn om het aan Loulou te vertellen? Zou ze al thuis zijn?
Hij checkt maar weer eens zijn berichtjes. Niets.
Na een halfuur komt er toch een berichtje.

Er ligt een vliegticket voor je klaar op de deurmat.
Vertrek morgenmiddag twee uur. Een taxi zal je ophalen om elf uur.
Utrecht gaat niet door.

Hij gooit zijn kamerdeur open en loopt zonder na te denken naar de voordeur. Zijn vingers trillen als hij het ticket opraapt. Even later vallen de snippers op zijn blote voeten.

26

Het is drie uur midden in de nacht als Raisel wakker schrikt. Alles voelt klam van het zweet. Heeft hij gedroomd, of staat er echt iemand achter de deur om hem over enkele seconden neer te knallen? Hij luistert. Het is doodstil. Waarschijnlijk was het een droom, maar het zware misselijke gevoel in zijn lichaam is echt. Hoe zou het met Loulou zijn? Stel dat ze het haar vader heeft verteld? In plaats van hier op zijn bed te liggen piekeren, zou hij haar moeten beschermen. Wie weet slaat die gek straks helemaal door. Nadenken, hij moet wakker blijven en een plan maken. De fouten die hij heeft gemaakt, kan hij niet meer terugdraaien, maar hij leeft nog en dus kan hij terugvechten. Goed, hij zit tot zijn oren in de shit, maar als hij nu niet alles op alles zet om terug te knokken, is zijn leven voorbij, is zijn droom voorgoed onbereikbaar. Stel dat Loulou hem wel gelooft? Haar vader zal alles ontkennen, maar als ze gaat twijfelen en op onderzoek uitgaat? Misschien moet hij haar ook de overige foto's mailen? Nee, dat kan hij niet maken.
Het is beter zijn kamer te verlaten voordat het licht wordt. Maar waar kan hij naartoe? Onderduiken voor de rest van zijn leven? Raisel Osman, de jongen die zich graag aan de wereld wil laten zien maar die zich schuilhoudt voor iedereen? Nee, dat nooit! Maar durft hij de straat nog wel op? *Ze bluffen alleen maar*. Dat had die Rogier toch zelf gezegd? Sheldon en zijn

vrienden deinzen anders nergens voor terug, maar beroerder dan het nu is kan het waarschijnlijk niet worden, en wat heeft hij nog te verliezen? Loulou is hij voorgoed kwijt en Utrecht gaat niet door. Wat heeft Rogier de manager verteld? Hij pakt zijn mobiel en zoekt naar het telefoonnummer in Utrecht. *Laat je niet door tegenslagen op je kop zitten. Geef niet op!*

Beste meneer Cherpa,
Er is een misverstand.
Ik wil graag draaien op zaterdag.
Laat me alsjeblieft weten of het doorgaat.
Raisel Osman

Hij sluipt zijn kamer rond om alle persoonlijke spullen te verzamelen. Weer die rotkoffer.
Het is vijf uur als hij de huissleutel door de brievenbus gooit, voor de laatste keer een snelle blik op het huis werpt en zenuwachtig om zich heen kijkt. Niemand. Hij loopt naar het station, alleen maar omdat hij daar over een uur koffie kan krijgen en zich onder de mensen kan begeven.
Loulou slaapt waarschijnlijk nog. Hij moet haar overtuigen dat zijn liefde voor haar losstaat van de hele geschiedenis met haar vader, maar dat zal niet lukken zolang ze de waarheid over haar vader niet gelooft en niets meer met hem, Raisel, te maken wil hebben.
Bij de ingang van het station ligt een zwerver op een stuk karton. Dat gaat mij nooit overkomen, denkt Raisel. Zijn toekomst gaat er nooit zo uitzien. Desnoods gaat hij terug naar school en leert hij zich helemaal suf. Met zijn muzikale talent is niks mis, met een beetje geluk en veel doorzettingsvermo-

gen kan hij aan de top komen. Hij zal zijn eerste mix opdragen aan Loulou. Stel dat hij haar niet had ontmoet? Misschien was hij wel een professionele jongenshoer geworden. Zij heeft hem daarvoor behoed. Hun liefde heeft ervoor gezorgd dat hij nu niet meer ronddwaalt in een wereld waar alles om seks en geld draait. En hij? Wat heeft hij voor Loulou gedaan? Hij heeft haar alleen maar verdriet en ellende bezorgd.
In de stationshal koopt hij een grote beker koffie. Achter in de restauratie vindt hij een tafeltje waar hij even kan zitten. Er zijn op dit tijdstip al mensen die naar hun werk of misschien naar school gaan.
School... Stel dat hij zich morgen weer zou melden? Wie weet geven ze hem nog een kans. Terug naar school betekent terug naar zijn tante. Zonder baan gaat het voorlopig niet lukken een kamer te huren. Maar teruggaan? Waarschijnlijk gaat ze hem de huid vol schelden en laat ze hem niet meer toe in haar huis. Maar aan de andere kant: hij heeft altijd geleerd dat je familie je nooit laat vallen. Hij zal íéts moeten ondernemen. Ze komen niet naar hem toe om hem een slaapplaats aan te bieden. God, wat heeft hij spijt van alles.

Na een uur verlaat hij de restauratie. Gek wordt hij van het gepieker en het idee dat ze hem overal en altijd in de gaten houden. Minutenlang had hij naar het telefoonnummer van zijn tante op het scherm van zijn mobiel gestaard, maar niet gebeld. Wat moet hij zeggen? Nee, hij kan haar beter persoonlijk spreken en haar proberen te overtuigen dat hij echt spijt heeft van zijn beslissing bij haar weg te gaan. Ze hoeft niet te weten waar hij mee bezig is geweest. Hij heeft het adres van zijn tante gelukkig nooit genoemd. Toch kunnen ze hem via

school binnen no time opsporen, als ze dat zouden willen. Hij moet zijn tante ervan overtuigen dat het beter is als hij naar een andere school gaat. Maar waarom zouden ze hem nog lastigvallen als hij zich niet meer laat zien? Het is voor iedereen toch veiliger als Raisel Osman van de aardbodem is verdwenen? Maar de gedachte dat hij nooit meer contact mag hebben met Loulou is moeilijk, nee: is niet te verdragen. Het kan toch niet zo zijn dat zij niets meer voor hem voelt? Ze moet weten dat hij echt van haar houdt en dat wat hij met haar vader heeft gedaan ontzettend stom was.
Hij zou wel met zijn kop tegen de muur kunnen bonken. Moet je hem nu zien: een loser eerste klas.
Hij had nooit gedacht dat hij met hangende pootjes weer bij zijn familie zou aankloppen. Zijn tante is bepaald niet gastvrij geweest, maar op haar manier wil ze hem misschien wel verder helpen. Hoe dichter hij bij haar huis komt, hoe minder hij ervan overtuigd is dat ze hem binnen zal laten. Aan het begin van de straat blijft hij staan. Wat gaat hij zeggen? Misschien moet hij nog een paar uur wachten? Nee, dan wordt het niet gemakkelijker.
De gordijnen zijn open. Waarschijnlijk bereidt ze in de keuken het ontbijt. Hij zet zijn koffer op de stoep en hapt naar adem. Zijn wijsvinger beweegt langzaam naar de bel en hij drukt het knopje kort in en wacht.
De deur wordt aan de binnenkant van het slot gehaald. Even later verschijnt zijn tante in de deuropening. Ze kijkt hem verbaasd aan en slaat daarna haar hand voor haar mond.
Hij wil iets zeggen, maar wat?
'Raisel, jongen, jongen, waar ben je mee bezig? Waar was je? Wat heb je in vredesnaam uitgespookt?'

'Het spijt me,' is het enige wat hij kan uitbrengen.
'Ja, dat zal best, en nu? Moet ik je nu weer binnenlaten?'
Raisel kijkt haar aan en haalt zijn schouders op. 'Het was verkeerd om weg te gaan.'
'Ik heb weken niet geslapen en nu sta je doodleuk op de stoep alsof er niets gebeurd is.'
'Het spijt me, tante, ik ben erg stom geweest, maar kunt u mij alstublieft nog een kans geven?'
Ze kijkt hem streng aan. 'God heeft je beschermd en je teruggestuurd, daarom kan ik je niet weigeren, maar mijn regels zijn niet veranderd. Ik heb je moeder en God beloofd je te helpen en ik zal dat nog één keer doen, maar flik me nooit meer zo'n afschuwelijke streek.'
Raisel schudt zijn hoofd en zou haar willen bedanken, maar ze heeft zich al omgedraaid en hij tilt de koffer op om de vloer niet te beschadigen. Zijn schoenen zet hij op het rekje en met gebogen hoofd loopt hij de kamer in. Het zal niet gemakkelijk zijn om het hier vol te houden, maar het is niet voor eeuwig.
'Over een halfuur is het ontbijt klaar en dan wil ik alles weten. Je kunt nu je spullen in je kamer zetten,' hoort hij zijn tante vanuit de keuken roepen.
Ook boven is geen spoor van zijn oom te ontdekken. Zou hij nog altijd ziek op bed liggen?
Het lijkt wel een jaar geleden dat hij voor het laatst hier was. Alles in de kamer is hetzelfde, maar hij is zelf in een paar weken behoorlijk veranderd.
Hij gaat uitgeput op het bed zitten. Is er dan niets meer van de oude Raisel overgebleven? Geeft hij nu echt op? Hoezo niets te verliezen? En Loulou dan? En zijn trots? Oké, het zal niet

gemakkelijk worden, maar het begin is gemaakt. Hij heeft weer een veilige plaats om te slapen.
'Raiséél, het ontbijt is klaar!'
Hij zal zich aan moeten passen, zijn ergernissen moeten wegslikken, geduld moeten hebben.
Voetje voor voetje loopt hij de trap af en hij opent daarna voorzichtig de keukendeur.
'Zo, jongen, ga daar zitten en we gaan pas weer opstaan als je alles hebt verteld. Je gaat vanaf nu je hersenen goed gebruiken en heel hard werken. We gaan na het ontbijt samen naar je school en daarna alle spullen kopen die je nodig hebt. Vanmiddag ga je met me mee naar de tuin, ik moet nodig de aardbeien plukken en omdat je oom...'
Zijn tante ratelt aan één stuk door, maar dit keer stoort het Raisel niet. Integendeel, haar stem en haar woorden klinken veilig, vertrouwd. Ze hoort niet eens de luide piep van zijn mobieltje als er een berichtje binnenkomt. Zo onopvallend mogelijk haalt hij zijn mobiel uit zijn broekzak en leest de woorden:

Dag, Raisel,
Ik wil met je praten.
Ik geloof je, maar ben zo radeloos.
Niemand mag weten dat we nog contact hebben,
maar zo kan ik niet verder.
Bel je me?
Loulou